高血圧

約4300万人を襲う国民病

脳卒中・心筋梗塞・動脈瘤
循環器内科の名医が教える
最高の治し方大全

文響社

はじめに

高血圧症（高血圧）は、現在、国内の推定患者数が約４３００万人に達し、年間の医療費が1兆８０００億円にも上る、まさに最大の国民病となっています。そして、1年に約10万人もの人たちが高血圧を主な原因とする病気で命を落としています。にもかかわらず、高血圧の本当の恐ろしさを正確に理解し、正しく対処できている人があまりに少ないように思えてなりません。

左ページのグラフを見てください。これは、世界で最も権威ある医学雑誌『ランセット』に掲載されたもので、日本人の「リスク因子別の死亡者数」を示したグラフです。これを見れば一目瞭然で、高血圧は、喫煙に次ぐ大きな死亡リスク因子であることがわかります。もっといえば、高血圧は今や、単一の病気としては、糖尿病（高血糖）にも勝る最大の死亡リスク因子なのです。

高血圧が怖いのは、ある日突然、命取りの脳心血管病を引き起こすリスクが高いだけでなく、全身の動脈硬化を早め脳や心臓、腎臓や目などさまざまな部位の合併症を招くことです。ところが、高血圧になっても自覚症状が現れにくいせいか、血圧が高いまの状態を放置する人が少なくありません。実際、高血圧が正しく治療されている日本人は、患者数の3割にも満たないことが指摘されています。どんな病気もそうですが、高血圧も、早期発見・早期治療が大切です。早期発見・早期治療を怠らなければ、怖い脳心血管病や、やっかいな合併症が発生するリスクを最小限に抑えることができるのです。

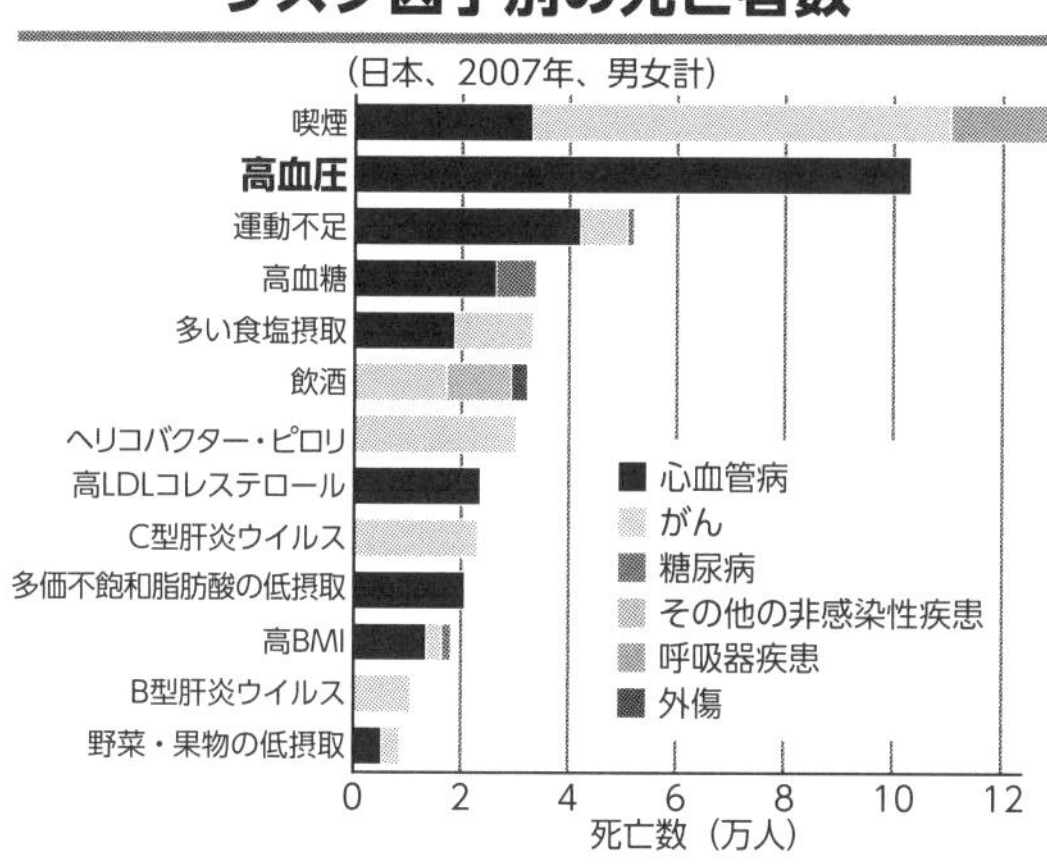

(Ikeda N, et al. Lancet 2011;378(9796):1094-1105. より引用改変)

高血圧治療は長期戦です。今からでも決して遅くありません。高血圧対策を今日から始めましょう。もしみなさんのまわりに高血圧を指摘されていながらなんの対策も講じていない人がいたら、ぜひ本書を見せてあげてください。高血圧の最新の知見について、専門医のみなさんが親身になってわかりやすく説明してくれています。本書を読めば、高血圧対策では何が重要か、具体的にどんな対策を講じればいいかが、とてもよくわかるでしょう。

自治医科大学循環器内科学部門教授　**苅尾七臣**

解説者紹介

※掲載順

自治医科大学内科学講座循環器内科学部門教授
自治医科大学附属病院循環器センター・センター長

苅尾七臣（かりお かずおみ）先生

1987年自治医科大学卒業。淡路市国民健康保険北淡診療所内科、米国コーネル大学医学部循環器センター、コロンビア大学医学部客員教授、自治医科大学COE教授などを経て現職。日本高血圧学会理事。

東京都健康長寿医療センター顧問
東都クリニック　高血圧専門内科

桑島　巖（くわじま いわお）先生

岩手医科大学医学部卒業。ニューオリンズオクスナー研究所留学。東京都健康長寿医療センター副院長を経て現在顧問。2010年より臨床研究適正評価教育機構理事長、ホテルニューオータニ・東都クリニックで高血圧専門外来担当。『ガッテン！』(NHK) などテレビ出演多数。

東京女子医科大学高血圧・内分泌内科教授・講座主任

市原淳弘（いちはら あつひろ）先生

1986年慶應義塾大学医学部卒業。95年米国チューレーン大学医学部生理学教室リサーチフェロー、97年チューレーン大学医学部生理学教室講師、2009年慶應義塾大学医学部抗加齢内分泌学講座准教授などを経て、11年から現職。日本高血圧学会理事。

東京医科大学名誉教授

高沢謙二（たかざわけんじ）先生

1979年東京医科大学卒業後、同大学院入学および同第2内科入局、東京医科大学循環器内科教授、東京薬科大学客員教授、東京医科大学八王子医療センター病院長、東京医科大学病院健診予防医学センター長などを経て2017年より現職。医学博士。

自治医科大学名誉教授
新小山市民病院理事長・病院長

島田和幸（しまだかずゆき）先生

1973年東京大学医学部卒業。東京大学病院第3内科、米国タフツ大学、高知医科大学、自治医科大学で講師・教授職や病院長職などを歴任、2013年から現職。医学博士。日本高血圧学会栄誉賞などの賞歴、著書多数。日本高血圧学会名誉会員。

東北大学名誉教授
東北血圧管理協会理事長

今井　潤（いまいゆたか）先生

1971年東北大学医学部卒業。80～82年メルボルン・モナッシュ大学で研究、2000年東北大学大学院医学・薬学系研究科臨床薬学教授、16年から現職。日本高血圧学会栄誉賞受賞。日本高血圧学会名誉会員。

東京女子医科大学東医療センター元教授
聖光ヶ丘病院顧問

渡辺尚彦（わたなべよしひこ）先生

1978年聖マリアンナ医科大学医学部卒業、84年同大学院博士課程修了。95年ミネソタ大学時間生物学研究所客員助教授として渡米。87年8月から、連続携帯型血圧計を装着し、以来24時間365日血圧を測定し、現在も引き続き連続装着記録更新中。医学博士。

目次

第2章 血圧測定についての疑問8

第3章 高血圧の原因についての疑問8

第6章 治療についての疑問11 ……95

第7章 降圧薬についての疑問17 …… 111

第8章 生活習慣についての疑問18 …… 129

第9章 食事についての疑問34 ……149

第10章 運動についての疑問9 189

第11章 セルフケアについての疑問10

第1章

血圧についての疑問 18

Q1 そもそも「血圧」とはなんですか？

血圧とは、血管内に生じる圧力のことです。心臓によって血液が全身に送られるとき、送り出された血液が血管を押す力を、血圧と考えればいいでしょう。心臓をポンプ、血管をホースにたとえるとわかりやすいかもしれません。

太い大動脈からごく細い毛細血管まで、人体のすべての血管では血圧が生じています。ただし、血圧には動脈圧（動脈内の血圧）と静脈圧（静脈内の血圧）があり、静脈圧はほぼ0に近いので、一般的には、動脈圧を血圧と呼び、動脈のうち上腕動脈の圧力を「血圧」として扱っています。

血圧が120ミリの場合、その圧力を噴水の水に換算すると、約1・6メートルの高さまで押し上げる力があ

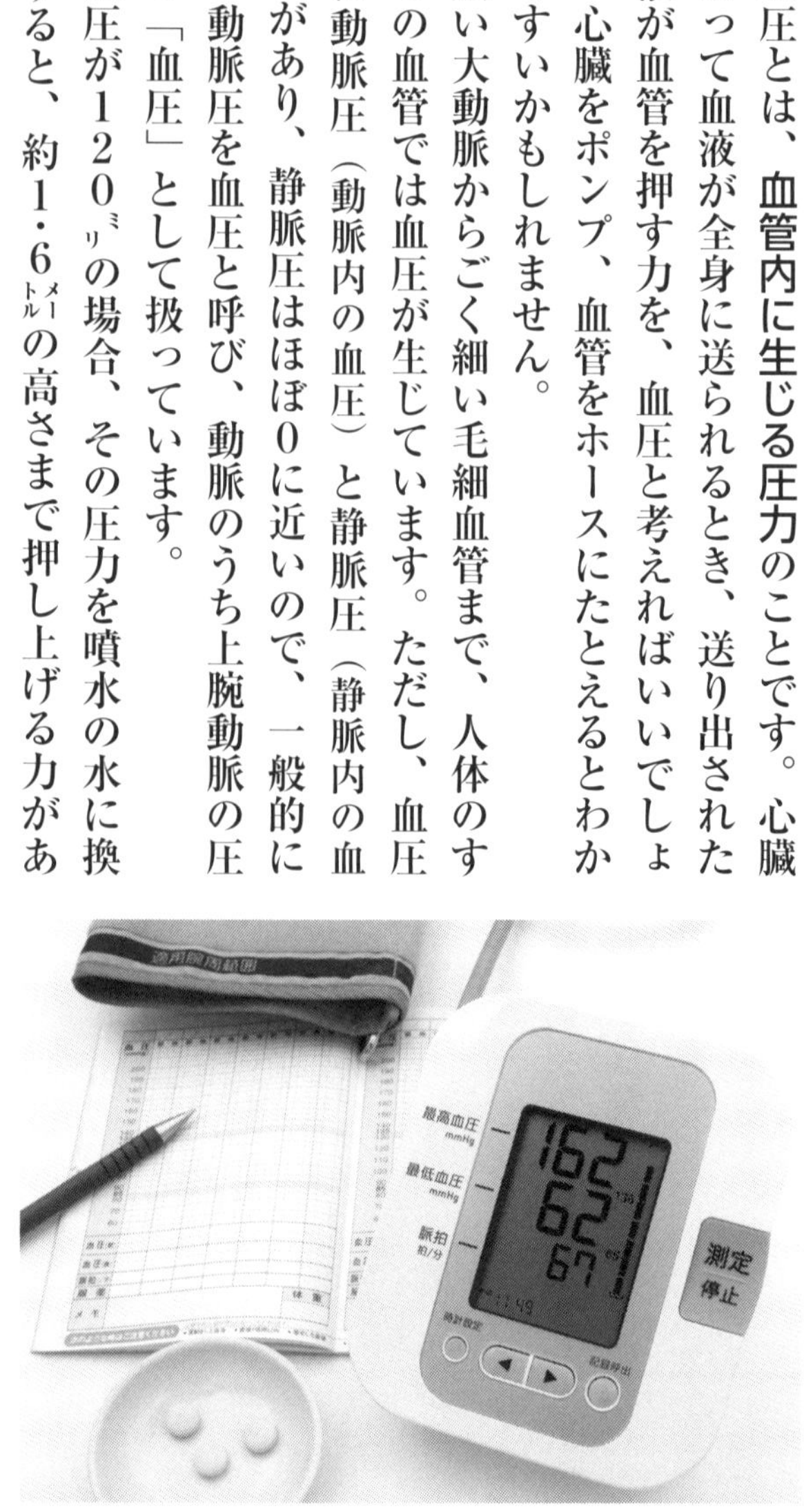

血圧とは

血圧	=	心拍出量	×	末梢血管抵抗
動脈の血圧		心臓が送り出す血液の量		血管を流れる血液の流れにくさ

ります。これほどの圧力で心臓から血液が送り出されているからこそ、私たちの体のすみずみまで血液が行き渡り、体に必要な酸素や栄養が運ばれ、また、不要となった老廃物を回収することができるのです。

血圧は、**①心臓が送り出す血液の量（心拍出量）と、②血管を流れる血液の流れにくさ（末梢血管抵抗）**、という２つの因子によって決まります（図参照）。

血圧は常に変動しています。少し体を動かせば上がり、安静にしていれば下がります。感情の起伏や気温の変化、季節にも影響を受けます。１日のうちでも、起床するとやや上がり、眠りに就くと下がるという波（日内変動）があります。

そもそも、血圧を測って得られる数値には「**最高血圧**」と「**最低血圧**」の２種類がありますが（18・19ページ参照）、これは心臓の拍動によって、血圧が変動することを示しています。

（苅尾七臣）

Q2 「最高血圧」とは、なんの値のことですか？

最高血圧は正式には「収縮期血圧」といい、「心臓が収縮するときの血圧」という意味です。「最大血圧」「上の血圧」と呼ぶこともあります。

具体的には、心臓の筋肉が収縮して大動脈の弁が開き、血液を全身へ送り出すときの、血管内の圧力のことをいいます。

心臓が収縮すると、逆に、血管は血液に押されて拡張します。そのため、血管には短い時間で強い圧力がかかります。

血圧は上腕で測りますが、最高血圧は、心臓の左心室が収縮して血液を送り出したとき、大動脈の血管壁に伝わる圧力を反映しています。

（苅尾七臣）

最高血圧とは

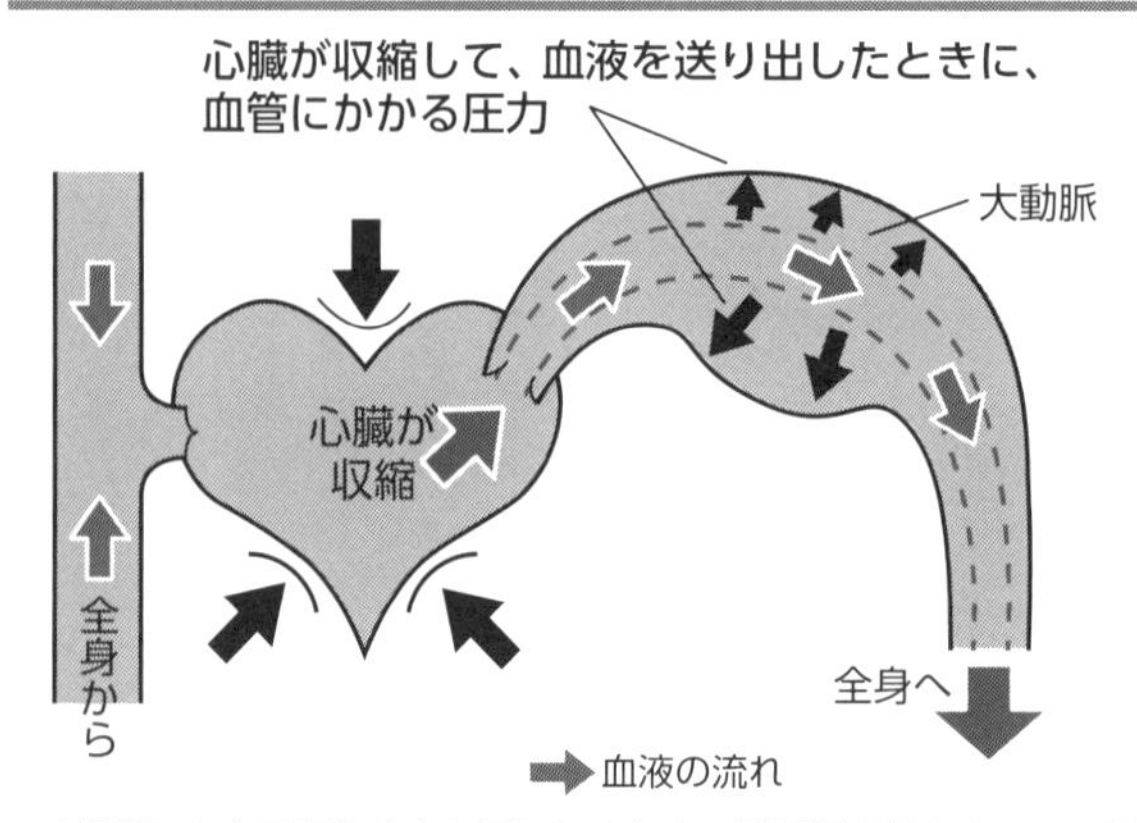

＊血管壁にかかる最も大きな圧になるため、循環器疾患のリスクに直結する。

Q3 「最低血圧」とは、なんの値を指しますか？

最低血圧は正式には「拡張期血圧」といい、「収縮した心臓が拡張してもとに戻ったときの血圧」という意味です。「最小血圧」「下の血圧」と呼ぶこともあります。

具体的には、心臓の筋肉が弛緩（しかん）して（ゆるんで）大動脈の弁が閉鎖され、心臓から血液が送り出されなくなったときに血管内にかかる圧力のことです。このとき心臓には全身から血液が流れ込んでくるので、全身の血管内の血液量は減り、血管を押す力が弱まって、血圧が低くなります。しかし、心臓が血液を送り出したときに広がった血管がもとに戻るさいの圧力で、血管内の血液は流れつづけます。（苅尾七臣）

最低血圧とは

心臓が拡張して、心臓から血液が送り出されなくなったときに、血管内にかかる圧力

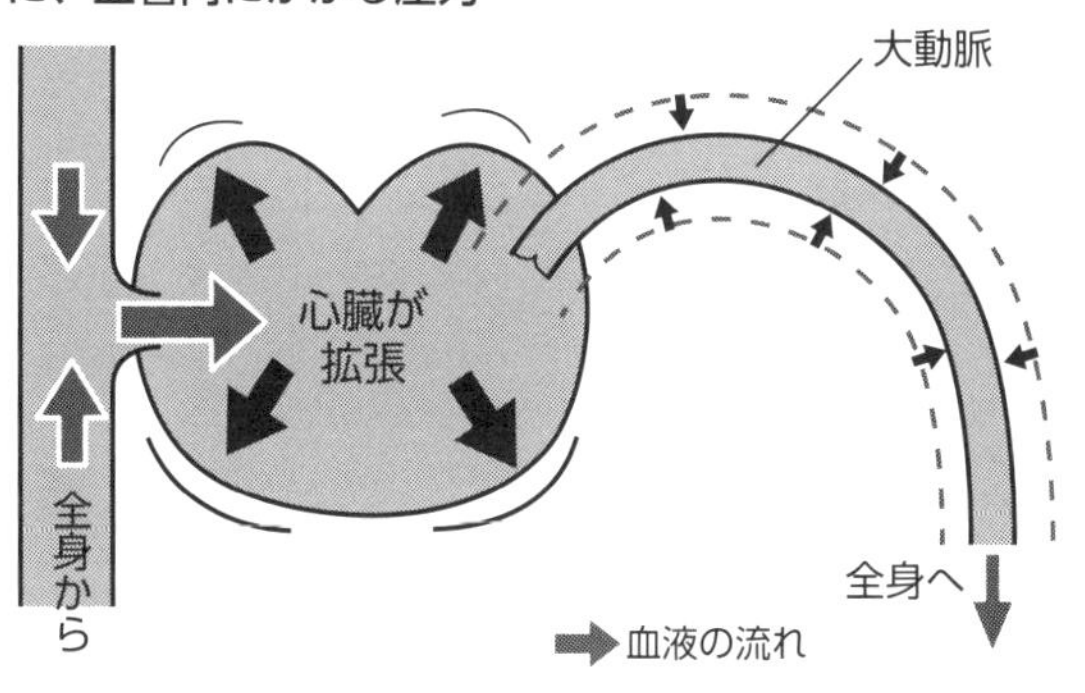

Q4 最新の「高血圧の診断基準」について教えてください。

日本における最新の高血圧の診断基準や降圧目標は、日本高血圧学会が示した「高血圧治療ガイドライン2019」に基づきます。基本的に治療が必要な高血圧と診断されるのは140ミリ/90ミリ（最高血圧／最低血圧。以下同様に表記）以上の場合で、さらに3段階に分類されています（図参照）。なお、最高血圧・最低血圧の値の両方、またはどちらか一方だけが当てはまる場合でも、その分類に区分されます。

■Ⅰ度高血圧……140〜159ミリ／90〜99ミリ
■Ⅱ度高血圧……160〜179ミリ／100〜109ミリ
■Ⅲ度高血圧……180ミリ以上／110ミリ以上

130〜139ミリ／80〜89ミリは「高値血圧」、最高血圧が120ミリ以上は「正常高値血圧」とされ、すぐに治療の必要はないものの「高血圧予備群」として降圧指導の対象となります。降圧目標は年齢や合併症によって若干異なります（表参照）。

なお、ここに示した基準値と目標値は診察室血圧（病院で測る血圧）で、家庭血圧

成人の血圧の基準値（診察室血圧）

家庭血圧では図内のそれぞれの数値から５ﾐﾘを引く

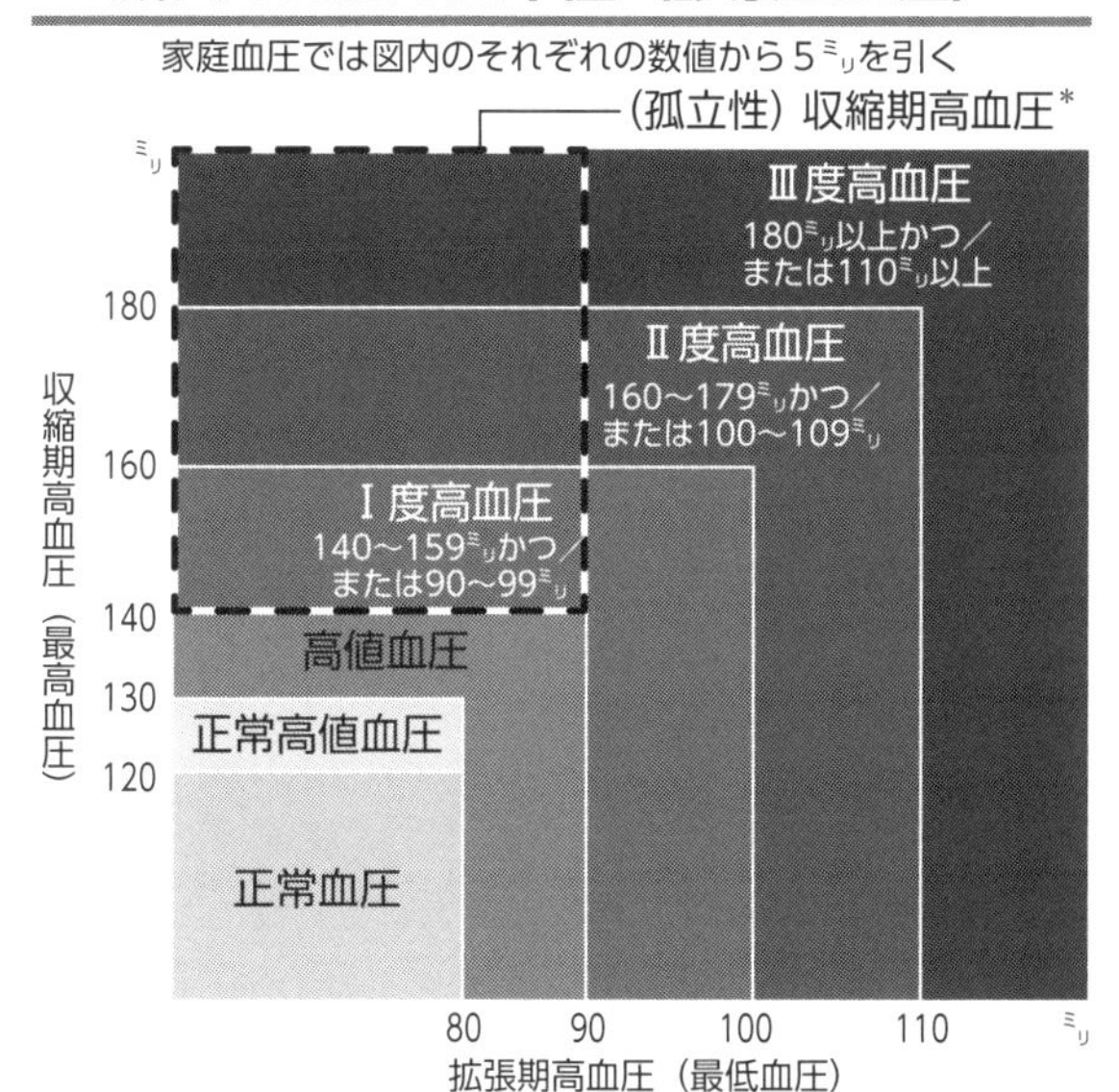

＊（孤立性）収縮期高血圧……収縮期血圧だけが特に高い高血圧で、動脈硬化の進んだ高齢者によく見られる。

（日本高血圧学会「高血圧治療ガイドライン2019」より）

成人の降圧目標（診察室血圧）

家庭血圧ではそれぞれの数値から５ﾐﾘを引く

75歳未満の成人	130ﾐﾘ／80ﾐﾘ未満
75歳以上の高齢者	140ﾐﾘ／90ﾐﾘ未満
糖尿病患者	130ﾐﾘ／80ﾐﾘ未満
慢性腎臓病（CKD）患者	たんぱく尿陽性の場合 130ﾐﾘ／80ﾐﾘ未満
	たんぱく尿陰性の場合 140ﾐﾘ／90ﾐﾘ未満
脳血管障害患者	140ﾐﾘ／90ﾐﾘ未満
冠動脈疾患患者	130ﾐﾘ／80ﾐﾘ未満

（日本高血圧学会「高血圧治療ガイドライン2019」より）

（家庭で測る血圧）では、それぞれ５ﾐﾘを引いた数値となります（診察室血圧、家庭血圧については42ﾍﾟｰｼﾞ参照）。（苅尾七臣）

Q5 血圧の基準値がどんどん厳しくなっていますが、なぜでしょうか？

数年ごとに改訂される日本高血圧学会の「高血圧治療ガイドライン」の最新版（2019年）では、診察室血圧で140ミリ／90ミリ以上を「高血圧」とすることに変更はなかったものの、降圧目標が、75歳未満の成人で140ミリ／90ミリ未満から130ミリ／80ミリ未満に変更されました。最高血圧と最低血圧の降圧目標が、それぞれ10ミリ厳しくなったわけです。実際、これまでの改訂でも、基準値と降圧目標値は厳しくなる傾向にあります。

高血圧を治療する目的は、脳心血管病（心筋梗塞、脳卒中など）や腎臓病など、生命にかかわる病気を予防することです。そのために、高血圧と脳心血管病などとの関連について、世界中でさまざまな臨床試験や調査・研究が行われています。こうした調査・研究の結果、「この年齢の人がこれくらいの血圧で何年か過ごすと、ある病気を発症するリスクが高まる」ということが導き出されます（「疫学的研究」という）。それに基づいて、WHO（世界保健機関）とISH（国際高血圧学会）が高血圧の管理指針を作成し、日本では、それをもとに日本高血圧学会が基準値と降圧目標値を定めています。血圧の基準値が年々厳しくなるのは、こうした研究の積み重ねから、高血圧のリスクが以前よりくわしく解明されてきた結果といえます。

実際、これまでの研究で、120ミリ／80ミリを超えて血圧が高いほど、**脳心血管病、慢性腎臓病**などにかかるリスク、また、その病気によって死亡するリスクが高まることがわかっており、高血圧は、日本では**喫煙に次いで大きな死因**となっています。世界的に見ても、単一の病気としては最も重大な病気といわれています。

日本で脳心血管病で死亡した人のうち約50％は、120ミリ／80ミリを超える血圧が原因です。日本の脳心血管病による死亡者数は年間約10万人に及びますが、その最大の原因が高血圧なのです。そればかりか、高血圧性の病気に費やされる**年間医療費は約1兆8000億円**（厚生労働省「平成29年国民医療費の概況」）にも上り、社会的・経済的な影響も大きいといえます。

このような背景から、高血圧や脳心血管病、腎臓病などを今よりさらに抑えるためには、より早いうちから高血圧を予防することが重視されるようになってきました。これに伴って、血圧の基準値・降圧目標値をより厳しくし、血圧をコントロールしていくことが重視されるように変わってきたのです。

（苅尾七臣）

Q6 高血圧を放置すると、脳や心臓以外にどこに影響が出ますか？

高血圧は血管内に生じる圧力が高くなる病気なので、実にさまざまな血管の病気を招きます。そして、人体のあらゆる場所に血管が張り巡らされている以上、その影響は全身に及びます。高血圧を放置すると、血管の内側の壁（内膜）に強い圧力がかかりつづけることで傷つき、何度も傷つくうちに、やがて動脈硬化を起こします。動脈硬化が進むと、血管が弾力を失ってさらに血圧が上がるという悪循環に陥ります。

高血圧による動脈硬化には、大きく分けて2つのタイプがあります。

①粥状（じゅくじょう）動脈硬化（アテローム動脈硬化）

比較的太い動脈に起こる動脈硬化です。外・中・内膜の3層構造になっている血管の内膜が傷つくと、その部分に血液中の悪玉（LDL）コレステロールなどの脂質が入り込み、ドロドロの「おかゆ」のような塊（プラーク）となります。これが原因で血管がつまったり、破れたりすると、**脳卒中**、**心筋梗塞（こうそく）**のほか、**大動脈瘤（りゅう）**（胸部・腹部）、**大動脈解離（かいり）**、**閉塞（へいそく）性動脈硬化症**などの原因となります。

②細動脈硬化

脳、腎臓(じんぞう)、目などのごく細い動脈に起こる動脈硬化です。細いので、柔軟性が失われると、破れて出血しやすくなります。脳で起これば**脳出血**のほか、**脳血管性認知症**になる危険性もあります。目の場合は、**眼底出血**から視力の低下を招きます。腎臓の細い血管で起こると、腎機能が低下して**腎硬化症**を招き、やがて血液中の老廃物をろ過できなくなる**腎不全**に陥り、透析が必要になることもあります。

（桑島　巌）

動脈硬化のタイプ

粥状動脈硬化（アテローム動脈硬化）

太い動脈の内膜に悪玉コレステロールなどが入り込み、プラークを形成して血流を妨げる。

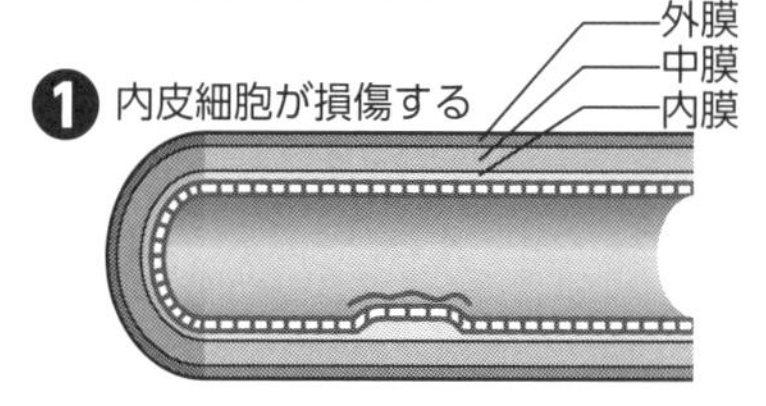

白血球のマクロファージが侵入しコレステロールが取り込まれる

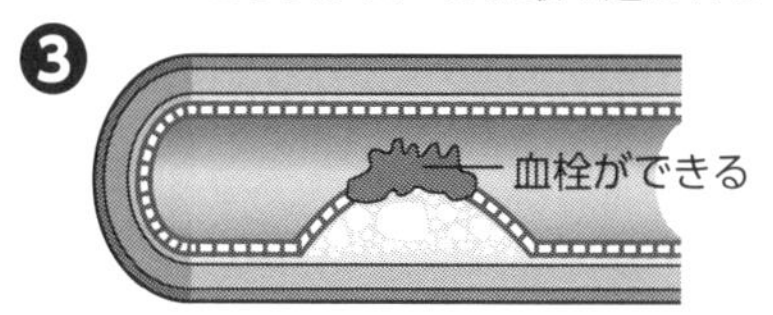

内膜が破れた場合は、粥状の内容物（アテローム）が血管内へ出てくる

細動脈硬化

細い血管の柔軟性が失われ、もろくなり、破れて出血しやすくなる。

Q7 日本には高血圧の患者がどのくらいいますか？

高血圧の人は、日本に約4300万人いると推定されています。その72%、約3100万人が、血圧を140ミリ／90ミリ未満にコントロールできていないといわれています。厚生労働省2018年「国民健康・栄養調査」によれば、最高血圧が140ミリ以上の人の割合は男性で約36%、女性は約26%となっています。

さらに、高血圧をコントロールできていない人のうち、自分が高血圧だと思っていない人が約1400万人、高血圧だと自覚しているのに治療していない人が約450万人もいるのです。

一方、高血圧と診断され、降圧薬などで治療しているのに血圧のコントロールがうまくいかない人も、約1250万人います。また、生活習慣を改めて、利尿薬を含む3剤以上の降圧薬を服用しても血圧のコントロールができない人を「治療抵抗性高血圧」といい、高血圧治療中の人の10～15%います。これらの中には二次性高血圧（53～60ページ参照）の可能性がある人もいるため、注意が必要です。

（苅尾七臣）

Q8 日本人の高血圧には特徴があるって本当ですか？

日本人の高血圧は加齢とともに増え、50代以上の男性、60代以上の女性の50％超が高血圧です。それらのうち約90％が、原因となる病気が特定できない本態性高血圧（52ページ参照）であることも特徴です。

日本人には「食塩感受性」（151ページ参照）といって、塩分をとると血圧が上がりやすい体質の人が多いともいわれます。肥満とストレスがあると、同じ量の食塩をとっても血圧が上がりやすくなりますが、日本人には、わずかの肥満でも高血圧や糖尿病になりやすいという特徴があります。また、しょうゆやみそなどの調味料を多用する食文化のせいか、先進国の中でも日本は食塩の摂取量が多いといわれています。食塩摂取量は年々減少傾向ですが、それでも1日平均10・1グラムをとっており（厚生労働省2018年「国民健康・栄養調査」）、日本高血圧学会の掲げる目標値「1日6グラム未満」は達成できていません。そのほか、「国民健康・栄養調査」で、**20歳以上の男性の肥満者の割合は32％となっており、過去30年で約2倍に増えています。**そのため、**男性では肥満に伴う高血圧が増加している**という特徴もあります。

（苅尾七臣）

Q9 女性は高血圧になりにくいという説は本当ですか？

女性は、女性ホルモンの一種であるエストロゲンが多く分泌(ぶんぴつ)されています。エストロゲンは卵胞ホルモンとも呼ばれ、受精卵が着床しやすいよう子宮内膜を厚くしたり、粘膜に潤いを与えたりする働きがあります。このホルモンの働きで血管もしなやかに保たれるため、全体的に見ると、女性には高血圧の人が少ない傾向にあります。

ところが、更年期になるとエストロゲンの分泌が減少してきます。加齢によるエストロゲンの減少とともに、閉経後は血圧も上昇しはじめ、60代、70代になるころには、高血圧の人の割合は男性と変わらなくなります。つまり、女性だからといって、高血圧になりにくいわけではありません。女性に特有の高血圧として妊娠高血圧症候群があります。原因ははっきりしませんが、妊婦の約20人に1人の割合で起こるといわれています。重症になると肝臓・腎臓(じんぞう)の機能障害を招くほか、赤ちゃんの発育が悪くなる場合もあります。妊娠中に、妊娠高血圧になったり、たんぱく尿が出たりした人は、更年期に高血圧になるリスクが高いといわれています。

（苅尾七臣）

Q10 「白衣高血圧」といわれました。くわしく教えてください。

自宅で血圧を測ると、すぐに治療をしなければならないほどの高血圧ではない（家庭血圧135ミリ／85ミリ未満）のに、病院で測ると140ミリ／90ミリ以上で高血圧と診断されるタイプを「白衣高血圧」といいます。医師や看護師の白衣を見ると緊張し、無意識に血圧が上がることからこう呼ばれています。高血圧患者の約15～30％に見られ、高齢になると増加する傾向があります。

しかし、病院以外では高血圧ではないから大丈夫、というわけではありません。白衣高血圧の人は、将来、家庭血圧も高血圧になるリスクが約3倍あることがわかっています。また、白衣高血圧の人は、高血圧の人と同じ程度、脳心血管病（脳出血や脳梗塞（こうそく）、狭心症、心筋梗塞など）を発症しやすいという研究結果もあります。

したがって、白衣高血圧の人は、家庭血圧（42ページ参照）をきちんと測り、経過を注意深く観察することが重要です。

（苅尾七臣）

Q11 最近よく聞く「血圧サージ」とはなんですか？

正常血圧の人でも、ちょっとしたことで血圧が急上昇し、異常に高くなることがあります。これを「血圧サージ*」といいます。血圧は気温・体位変化・喫煙・飲酒・ストレス・塩分摂取などが誘因となって上昇します。一つ一つは日常的に起こる変動ですが、それらの誘因が重なれば、血圧サージを引き起こす危険があります。

急激な血圧の変化は血管にダメージを与え、動脈硬化を進行させます。動脈硬化により血管が柔軟性を失い、血圧の調整がうまくいかなくなると、また血圧サージを起こして動脈硬化が進む、という悪循環に陥ります。血管内に血栓（血液が凝固した塊）やプラーク（コレステロールや脂質の塊）がある状態で血圧サージが起これば、血管がつまり、脳梗塞（こうそく）や心筋梗塞といった命にかかわる病気を招く危険も高まります。

白衣高血圧（29ページ参照）とは逆に、診察室血圧は正常値なのに家庭血圧が高いタイプの高血圧を「仮面高血圧（隠れ高血圧）」（40ページ参照）といいますが、それらの中にも、血圧サージを起こしている人がいると考えられます。なお、最も血圧サージが発生しやすい時間帯は、早朝です。

（苅尾七臣）

＊サージ＝surge。英語で「急増」「大波」といった意味。

Q12 高血圧に自覚症状はありますか？

高血圧になっても、自覚症状はありません。ほとんどの人は健康診断などで血圧を測定したさい、医師から高血圧を指摘されて知ることが多いでしょう。**頭痛や耳鳴り、めまい、首の痛み・こり、イライラ**などの症状が現れる場合もあるのですが、その原因が高血圧だとは気づかないことがほとんどです。

高血圧は症状がわかりにくいため、そもそも血圧が高いことに気づかなかったり、または、医師に高血圧だと指摘されても「たいしたことはないだろう」と治療をしなかったりと、放置されがちです。

しかし、高血圧を治療せずにほうっておくと、常に血管に強い圧力がかかる状態が続くことになります。すると、血管に負担がかかり、血管壁が弾力を失ったり分厚くなったりして、知らないうちに動脈硬化が進行します。動脈硬化は、**脳梗塞（こうそく）・脳出血などの脳の病気、狭心症・心筋梗塞などの心臓の病気、腎臓（じんぞう）病**など、命にかかわる病気を引き起こす原因になります。そのため、高血圧は、別名「**サイレント・キラー（静かな殺人者）**」と呼ばれています。

（桑島　巌）

Q13 血圧が上がりやすいのはどんなときですか？

血圧は常に変動していますが、特に上がりやすいのは、精神的・身体的なストレスにさらされて、緊張する場面です。

試験を受けるとき、人前でスピーチをしなければならないとき、初対面の人に会うときなど、日常生活には緊張する場面がたくさんあります。特別に緊張しているという自覚がなくても、例えば車を運転するとき、ふだん正常血圧の人が平静な気持ちで運転をしていても、血圧が30～40ミリ上昇するという実験結果があります。幼い子供を連れて外出するときなど周囲に注意を払わなくてはならない場面や、サプライズでお祝いのプレゼントをもらうといったうれしい場面でも、やはり血圧は上がります。また、トイレでいきんだとき、ケガをして痛みを感じたときなど、身体的なストレスでも、血圧は上昇します。

このような血圧の上昇には、自律神経が関係しています。自律神経とは、自分の意志とは関係なく血管や内臓の働きを支配する神経で、交感神経と副交感神経の2種類があります。自律神経のうち交感神経には、心身の働きを活発にして血圧を上昇させる作用があり、緊張したり興奮したりする場面で優位に働きます。精神的・身体的ストレスにさらされると血圧が上がるのは、交感神経の働きによるものなのです。

すべてのストレスをさければ血圧の上昇を抑えることができますが、生きて活動しているかぎり、現実には難しいでしょう。そこで、交感神経が優位になるような場面でも、自律神経のスイッチを切り替える方法を覚えておきましょう。

スイッチを切り替える最も簡単な方法は、**深呼吸**です。ゆっくりと深呼吸をすることで、自律神経は、副交感神経のほうが優位になります。副交感神経には、心身を鎮めてリラックスさせ、血圧を低下させる働きがあります。

深呼吸は、ゆったりと腹式呼吸で行いましょう。鼻から息を吸い込んでおなかを膨らませ、息を吐くときは口から静かに吐きます。吸うときは空気のきれいな森林や水辺などをイメージし、吐くときはイライラや不安な気持ちを吐き出すことをイメージしましょう。**ゆっくり２～３回、深呼吸をすると、血圧を10ミリくらい下げることができます。**

（桑島　巌）

血圧を下げる深呼吸

吸う
鼻からゆっくり息を吸い込んでおなかを膨らませる

吐く
口からゆっくり息を吐き出す

Q14 血圧が高いほうが脳の働きがよくなるのではないですか？

血圧が高いと、血液が勢いよく流れるので、脳の血の巡りも働きもよくなるのではないか、とイメージしがちですが、実際は全く逆です。

血圧が高くなると、脳の血管が広がります。すると脳は、動脈の血液が過剰に脳に侵入しないよう保護しようとします。その結果、血管壁に余分な血液がたまり、正常血圧の人に比べると、血管壁が約1・5倍もむくんでしまいます。むくんだ状態なので、脳内の血流の速度も正常血圧の人に比べて秒速1・3チセン遅くなります。その結果、脳の働きが悪くなり、判断力や計算力、思考力などが低下します。

さらに、脳の血流不足によって、記憶や学習能力を司る脳の「海馬（かいば）」のシナプス（神経回路）が特にダメージを受けやすく、高血圧が続くと約20％のシナプスが消失するといわれています。海馬のシナプスが減少すると、新しい脳細胞を作る力も低下します。また、高血圧を放置すると、意欲を刺激するホルモン「ドーパミン」が、10年ごとに最大13％減少するという報告もあります。

（市原淳弘）

Q15 血液サラサラがいいとよく聞きますが、血圧が上がりませんか？

ドロドロ血液とは、赤血球や白血球、血小板の「量」が増え、赤血球の柔軟性が失われたり、白血球や血小板がくっつきやすくなったりと「質」にも異常が起こって、血液が粘ついて流れにくくなっている状態です。流れにくい血液を全身に送るためには強い圧力が必要になり、血管を押す力が強まって血圧が上がります。**血液の粘度が1上がると血圧は8倍上昇する**といわれており、**高血圧の改善のためには、サラサラと流れやすい血液のほうがいい**ということになります。

中でも注意しなければならないのは、血小板が固まりやすくなることです。高血圧によって動脈硬化を起こした血管が傷ついた場合、傷ついた部分を修復しようとして血小板が集まりますが、このとき血小板が固まりやすいと、血管をつまらせ、心筋梗塞や脳梗塞を起こす危険性がより高まるからです。血小板の固まりやすさには、内臓脂肪型肥満（メタボリックシンドローム）や、飲酒、喫煙などの生活習慣が影響します。生活習慣を見直し、血液をサラサラに保ちましょう。

（市原淳弘）

Q16

高血圧の人が新型コロナウイルスに感染すると危険なのはなぜですか？

今のところ、高血圧の患者さんが新型コロナウイルスに感染すると重症化しやすいという根拠はありません。「高血圧の人は重症化しやすい」という報道もありましたが、これは、重症例・死亡例に高齢者が多かったこと、もともと基礎疾患(しっかん)の中で高血圧の比率が高いことが影響しているものと思われます。しかし、新型コロナウイルス重症者に肺塞栓(そくせん)（肺動脈に血栓がつまる病気）や脳梗塞(こうそく)といった血栓症が起こる例が、世界中で多数報告されるようになってきました。若い人や基礎疾患のない人に起こる例も多数あることから、新型コロナウイルスが血管を傷つけ、そこを修復しようと集まった血小板によって小さな血栓（血液の塊）ができることが原因と見られています。

新型コロナウイルスについてはまだ不明点は多いですが、**高血圧の人は動脈硬化のリスクが高く、血栓症が重症化しやすいのは事実です。**マスクの着用、こまめな消毒などの対策をしっかり行い、３密（密閉空間、人の密集、人との密接）をさけると同時に、血圧の良好なコントロールに努めることが重要です。

（市原淳弘）

Q17 血圧は低ければ低いほどいいのですか？

最高血圧（収縮期血圧）100ミリ以下、最低血圧（拡張期血圧）60ミリ以下の場合に、「低血圧」と判定されます（WHO＝世界保健機関による定義）。低血圧は体質的なものとして病気とは見なされず、治療の必要ありとされることはあまりありません。普通に生活できるのであれば、心臓に負担がかからないので、血圧は低いほうがいいといえます。しかし、急に立ち上がったり、体を起こしたりするさいの起立性低血圧、食後に起こる食後低血圧などの場合は、血圧低下によって全身に送られる血液量が極端に少なくなっていると思われ、問題があります。いずれも、めまい、ふらつき、気が遠くなる、視野が狭くなる、失神といった症状が見られ、気を失えば転倒してケガにつながるほか、血流不足から脳や心臓に悪影響を及ぼすこともあります。

また、最近では、動脈硬化によって血管が硬くなったり、狭くなったりしている場合、降圧薬で血圧を下げすぎて低血圧になると、臓器に血液が行き渡らず、心筋梗塞（こうそく）や脳梗塞になる危険性が高くなるとの指摘もあります。特に高齢者は降圧薬が効きすぎて低血圧になる場合があるので、注意が必要です。

（高沢謙二）

Q18 高血圧は家計にも悪影響があるって本当ですか？

厚生労働省「平成29年度国民医療費の概況」によると、高血圧関連の病気の年間医療費は、45～49歳の人で1人当たり約1万円かかっています。これを65歳以上の高齢者で見ると、年間1人当たり約4万円で、実に4倍もかかっています。

また、ある調査で40歳男性の平均余命は、高血圧の人は44・8年、正常血圧の人は46・5年です。正常血圧の人のほうが1・7年長生きするにもかかわらず、生涯に支払う医療費を見ると、正常血圧の人は、高血圧の人に比べて、約376万円も少ないことがわかりました（図参照）。高血圧の予防と早めの治療は、経済的にも有利であることがわかります。

（市原淳弘）

高血圧と平均余命・生涯医療費

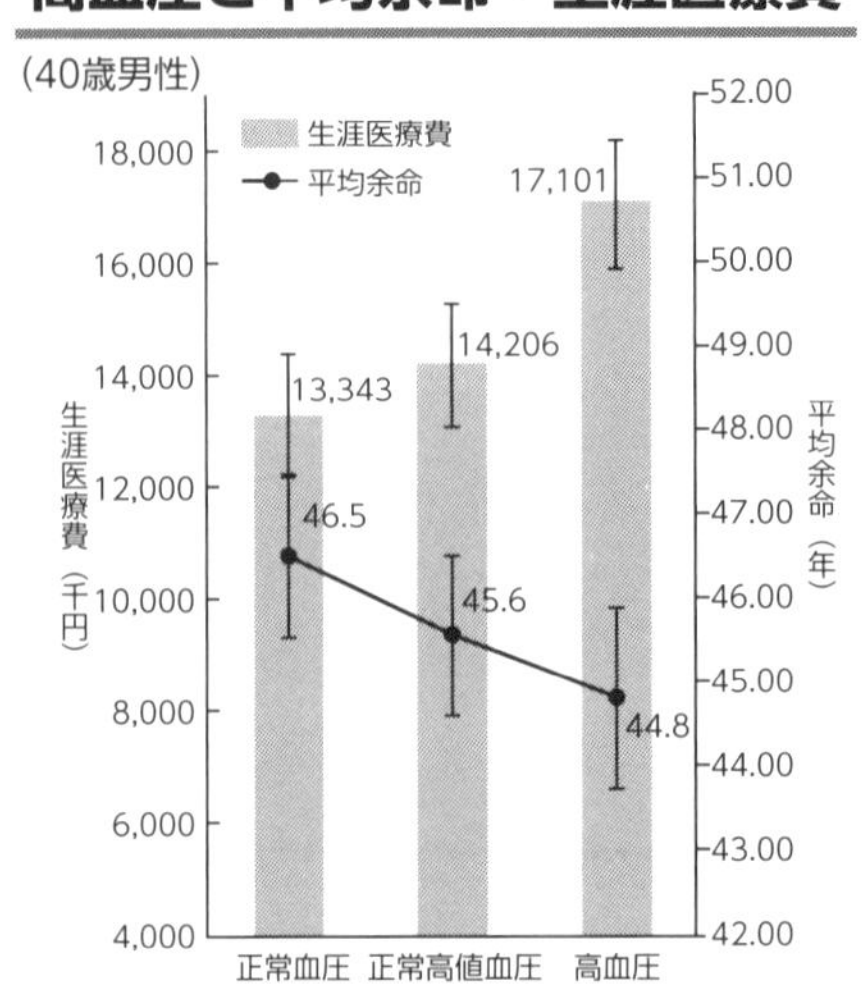

（出典：「生活習慣・健診結果が生涯医療費に及ぼす影響に関する研究」辻一郎 東北大学大学院医学系研究科公衆衛生学分野教授／2010年3月）

第2章

血圧測定についての疑問 8

Q19 なぜ家庭でも血圧を測らなければいけないのですか？

近年の高血圧治療では、診察室血圧と家庭血圧との間に差がある場合は、家庭血圧が優先されるようになっています。つまり、家庭血圧がより重要視されているのですが、その理由は、家庭で測定しないと明らかにならないような隠れた高血圧があることがわかってきたからです。

診察室血圧だけでは実態が把握できない高血圧には、家庭血圧は高くないのに診察室血圧が高い「白衣高血圧」（29ページ参照）、逆に、診察室血圧は高くないのに家庭血圧が高い「**仮面高血圧**（**隠れ高血圧**）」があります。

白衣高血圧の人はそうでない人に比べて脳心血管病（脳出血や脳梗塞、狭心症、心筋梗塞）にかかりやすいことがわかっており、将来高血圧になるリスクも高いため、家庭血圧を測定して経過を観察することが重要です。

もう一方の仮面高血圧は、診察室血圧は高血圧ではないのに家庭血圧が135ミリ／85ミリ以上（家庭血圧は診察室血圧から各5ミリマイナスするため135ミリ／85ミリで高血圧となる）の場合をいい、診察室血圧が正常な人の10〜15％には、仮面高血圧が認められます。仮面高血圧の人は、血圧をコントロールできている高血圧の人よりも脳心血管病になるリスクが高いという研究結果もあり、やはり家庭血圧の測定による実態把握と治療が重要です。

家庭血圧による仮面高血圧の基準

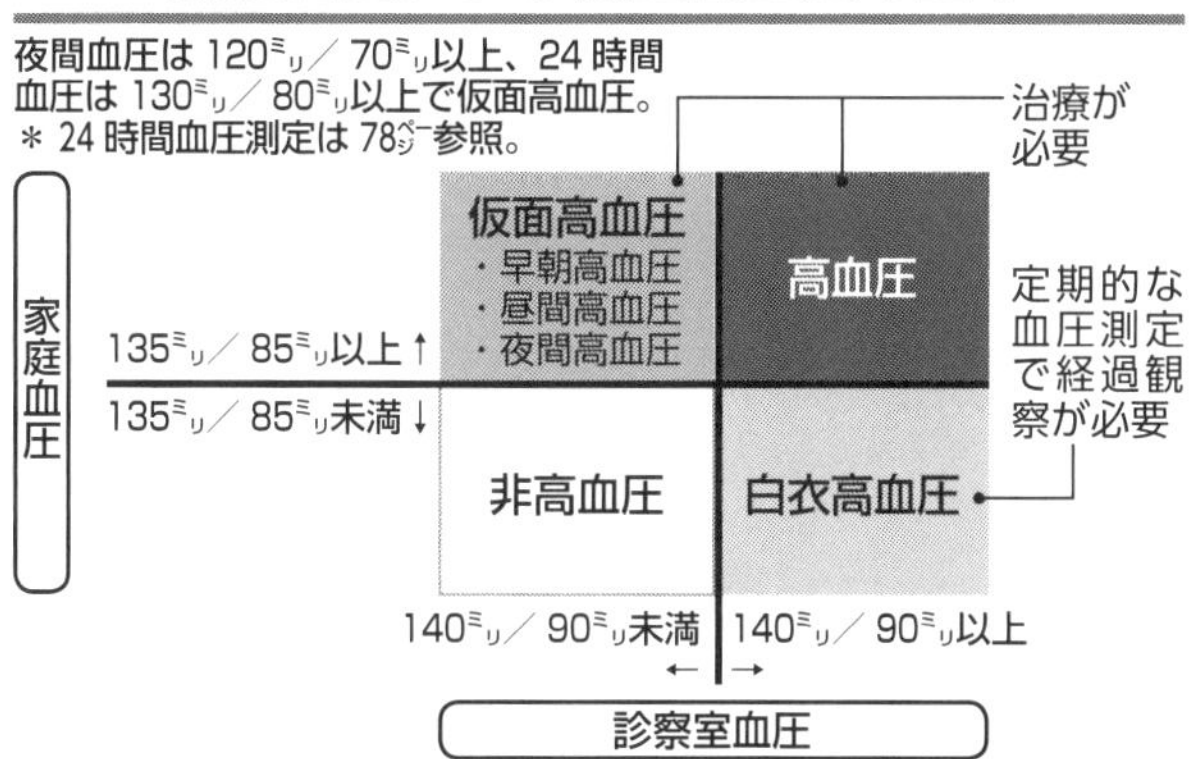

（日本高血圧学会「高血圧治療ガイドライン2019」より）

　仮面高血圧には高血圧になる時間帯によって早朝高血圧、昼間高血圧、夜間高血圧というタイプがあります（68ページ参照）。このうち夜間高血圧の場合は、夜間は誰でも血圧が低くなるため120ミリ／70ミリ以上で仮面高血圧と判定されます。

　早朝では起き抜けの喫煙、寒さ、前夜のアルコールの影響など、昼間は仕事や家庭での精神的ストレス、身体的な疲れなど、夜間は睡眠時無呼吸症候群、心臓・腎臓の病気の影響、糖尿病、抑うつ状態、脳血管障害などが誘因となって高血圧になると考えられています。

（苅尾七臣）

Q20 「診察室血圧」と「家庭血圧」で基準値が違うのはなぜですか？

日本高血圧学会の「高血圧治療ガイドライン2019」に基づき、高血圧と診断されるのは診察室血圧で140㍉/90㍉以上ですが、家庭血圧では135㍉/85㍉以上と、最高血圧・最低血圧ともに5㍉をマイナスした数値で高血圧と診断されます。高値血圧までは診察室血圧と家庭血圧の基準値の差は5㍉ですが、高血圧になると重度になるほど差が大きくなり、Ⅲ度高血圧では診察室血圧180㍉/110㍉以上に対し、家庭血圧160㍉/100㍉以上と、20㍉/10㍉の差があります（次ページ参照）。

このように基準値に差があるのは、さまざまな調査・研究から、診察室血圧よりも家庭血圧のほうが本来の血圧をより反映しており、脳心血管病などのリスクを予測するのに役立つことが明らかになってきたためです。例えば、1986年から続けられている「大迫（おおはさま）研究」では、岩手県花巻市大迫町の住民数千人が参加して、継続的に家庭血圧を測定する調査によって、「家庭血圧が135㍉/85㍉以上なら高血圧といえる」ことが明らかになりました。

成人の血圧の基準値（診察室血圧と家庭血圧）

分類		診察室血圧 収縮期血圧（最高血圧）／拡張期血圧（最低血圧）	家庭血圧 収縮期血圧（最高血圧）／拡張期血圧（最低血圧）
正常血圧		120未満／80未満	115未満／75未満
正常高値血圧		120～129／80未満	115～124／75未満
高値血圧		130～139／80～89	125～134／75～84*
高血圧	Ⅰ度高血圧	140～159／90～99*	135～144／85～89*
	Ⅱ度高血圧	160～179／100～109*	145～159／90～99*
	Ⅲ度高血圧	180以上／110以上*	160以上／100以上*
	（孤立性）収縮期高血圧	140以上／90未満	135以上／85未満

単位：㍉　（日本高血圧学会「高血圧治療ガイドライン2019」より）

＊最高血圧・最低血圧の値の両方、またはどちらか一方だけが当てはまる場合でも、その分類に区分される。

診察室血圧は装置や測定場所・方法・回数などを細かく定めた「診察室血圧測定法」に基づき測定しますが、あわただしい臨床現場では、完璧には守れないことも少なくありません。また、誰でも診察室では緊張し、血圧が高くなる傾向があります。一方の家庭血圧は、継続的に測定が可能で、緊張せず落ち着いた環境で、何度も測定できるというメリットがあります。

日本では家庭用の血圧計が比較的安価に購入できることから、およそ1世帯に1台の割合で普及し、機器の信頼性も高いため、家庭血圧の測定値は高血圧に伴う病気の予測に役立っています。

（苅尾七臣）

Q21 「家庭血圧」の測り方について教えてください。

血圧計は「上腕式電子血圧計」を使いましょう。上腕に巻いたカフ（腕帯）に空気を送り、血管を圧迫して血圧を測るもので（オシロメトリック法という）、家庭用電子血圧計の主流になっています。家電量販店やドラッグストアなどで入手できます。

家庭血圧の測定で重要なのは、毎日同じ条件で測ることです。静かで過ごしやすい室温の部屋を測定場所に決めましょう。イスに腰かけ、テーブルにタオルなどを敷いて手のひらを開いて上に向け、腕を乗せます。カフは心臓と同じ高さになる位置に巻きます。左右どちらの腕でもかまいませんが、左右で10ミリ以上の差があるときは高いほうで測り、常に同じ側で測ります。座って1～2分安静にしてから測りましょう。

朝起きたら排尿をすませ、起床後1時間以内に、食事・服薬の前に測定します。夜は食事・服薬・排尿・入浴などをすべてすませ、寝る前に測定します。朝・夜ともに、2回測定して記録し、平均値も記録します（50ページ参照）。

測定前には喫煙・飲酒や、カフェインを含む飲料は禁止です。測定中は話をしたり、姿勢を変えたり、力んだりしないように注意します。

（苅尾七臣）

家庭血圧の測り方

どんな血圧計がいい？
上腕にカフを巻くタイプの機器を使う

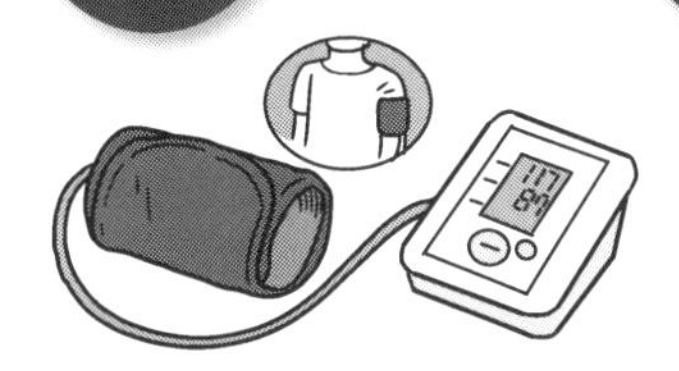

いつ測る？
朝と夜、各２回ずつ測って記録し、それぞれの平均値も記録する

- 朝：起床後、排尿をすませ、起床後１時間以内に、食事や服薬の前に測る
- 夜：就寝前、食事・服薬・排尿・入浴などをすませてから測る

記録は？
２回の測定値と平均値、すべての測定値を記録する

測定のチェックポイント

部屋 静かで、過ごしやすい室温の部屋で測る

姿勢 なるべく背もたれのあるイスに座り、足は組まない

セッティング カフの高さを心臓の高さに合わせる。血圧計本体はテーブルの上に置く
左右どちらの腕でもいいが、常に同じ側の腕で測定すること

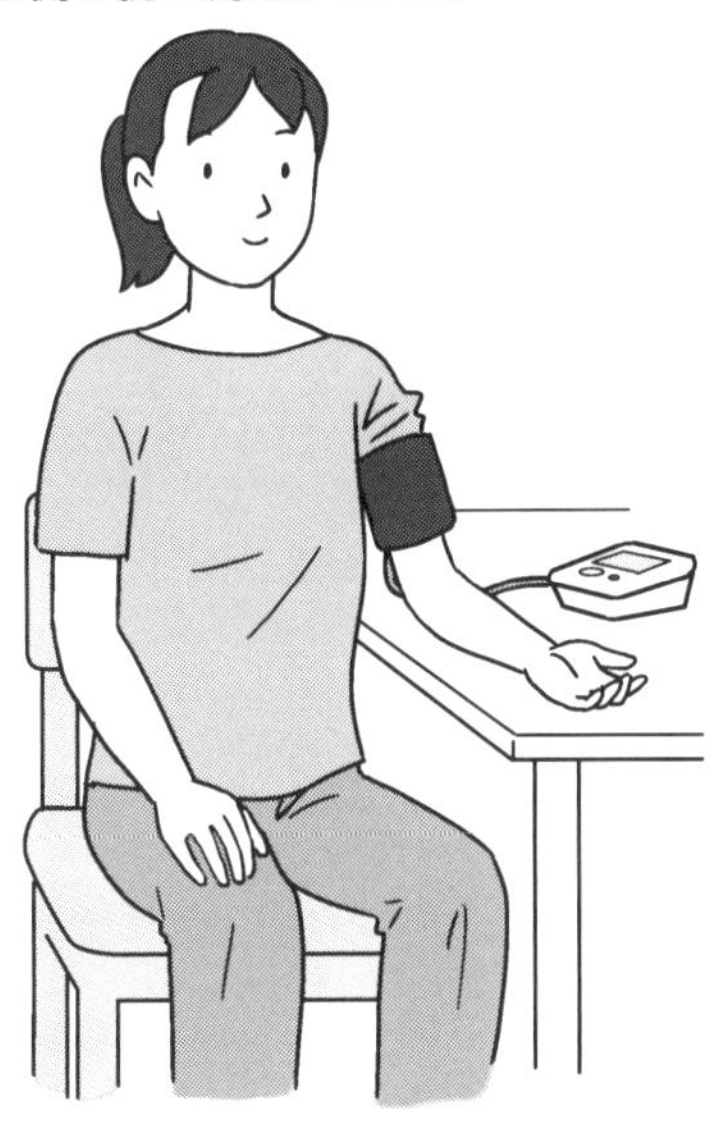

測定前 測定前に喫煙・飲酒をしない。コーヒー、緑茶などカフェインを含むものをとらない
座ってから１～２分安静にして、リラックスする

測定中 話をしたり、動いたり、力を入れたりしない

（日本高血圧学会「高血圧治療ガイドライン2019」より）

Q22 血圧は朝晩測るだけでいいですか？

できれば昼間も測りましょう。1日の血圧変動がくわしくわかればわかるほど、高血圧の診断・治療に役立つ資料としての価値が高まります。高血圧の治療では、降圧薬を選んだり、その効果を見たりするために家庭血圧を参考にするので、昼間の血圧もわかれば、より精度の高い診断ができます。24時間血圧を測る方法（ABPM。78ページ参照）もありますが、自分の血圧計で昼間も測れば、血圧サージなどを把握でき、自己管理にも役立ちます。例えば、朝や夜以外に、仕事などの昼間の活動が誘因となって血圧が高くなるタイプの仮面高血圧（昼間高血圧）などは診察室では把握できず、昼間、仕事中などストレスがかかるときに血圧を測定しないと発見できません。降圧薬を服用しているのにあまり効果が出ていないような場合にも、昼間の血圧も把握することで、高血圧のタイプに合わせた薬を選択することができます。特に、ストレスの大きな仕事をしている人は、職場でも血圧測定することをおすすめします。

測り方は朝・夜と同様に測定条件（静かな環境で安静にして測る、測定中に人と話をしないなど。45ページ参照）を守り、2回測定して平均値を出します。

（苅尾七臣）

Q 23 血圧計には「脈拍」も表示されますが、高血圧と関係ありますか？

脈拍＝心拍数（心臓が収縮して血液を送り出すときの血管の拍動）の基準値は、年齢や性別にもよりますが、成人で1分間に60～100回程度です。

高血圧だからといって心拍数が高いとは限りません。ただし、心拍数が高い状態が続くと、特に高血圧の人は心血管疾患（しっかん）のリスクが高まることが、長年の調査研究でわかっています。最高血圧１３５ミリ以上で心拍数が70以上の人は、それより低い人に比べ、心血管疾患死のリスクがそれぞれ３倍以上高いのです。

心拍数が高くなる原因には、ストレス、ホルモンバランスの乱れなどがあります。心拍数が多く、めまいや動悸（どうき）など、気になる症状があるときは、主治医に相談しましょう。（市原淳弘）

心拍数と心血管疾患死の関係

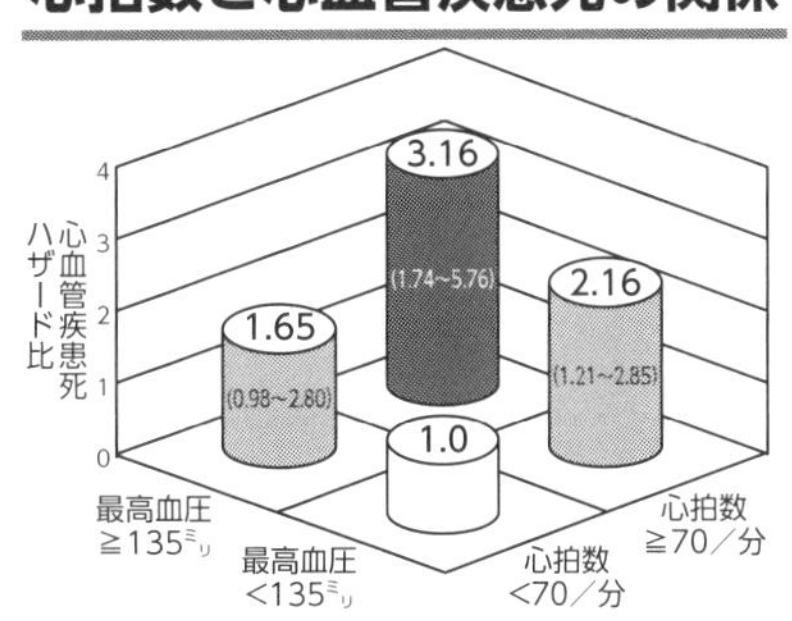

最高血圧135ミリ以上で心拍数が70以上のグループは、最高血圧135ミリ未満で心拍数が70未満のグループに比べ、心血管疾患死のリスクが3.16倍高い。

＊10年間1,780名を追跡調査。

(Hozawa A, Ohkubo T, Kikuya M, et al : Prognostic value of home heart rate for cardiovascular mortality in the general population : the Ohasama study. *Am J Hypertens* 2004 ; 17 : 1005-1010 より)

Q24 血圧計はやはり水銀の血圧計が正確ですか？

環境に悪影響を及ぼす水銀の使用を禁止した「水銀に関する水俣条約」により、2021年以降は水銀を使った機器の製造や輸出入が禁止されます。水銀血圧計も例外ではありません。

日本医師会や高血圧学会でも、水銀血圧計の回収を呼びかけています（日本高血圧学会「水銀血圧計に関するQ and A」https://www.jpnsh.jp/topics/447.html）。

したがって、これから入手するなら「上腕式電子血圧計」がおすすめです。正確性に問題はないとして、日本高血圧学会も推奨しています。

なお、水銀血圧計を廃棄するときは、通常のゴミとは違い、水銀使用廃製品として特別な扱いになります。住まいのある市区町村の窓口に回収方法などを問い合わせ、それぞれの自治体が定めたルールに従う必要があります。（苅尾七臣）

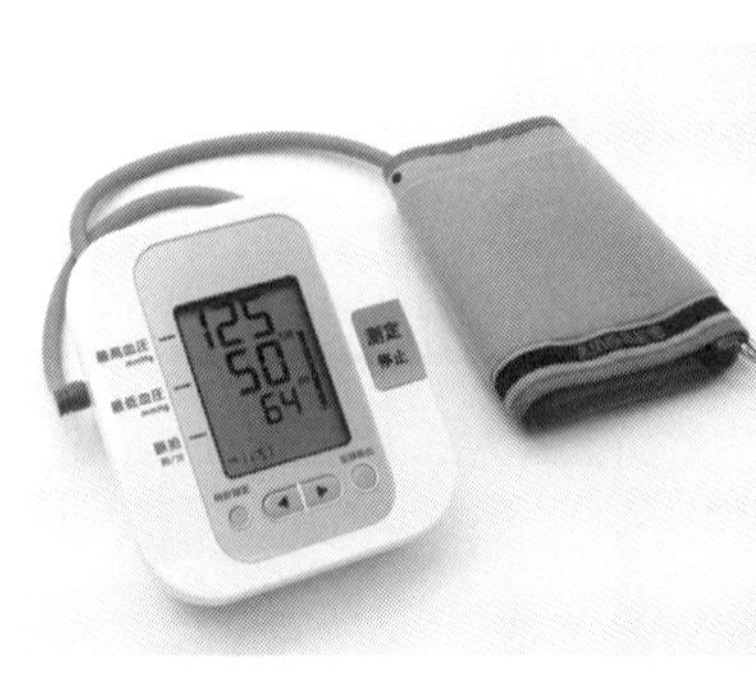

Q25 腕をまくるのがめんどうなので「手首式の血圧計」でもいいですか？

手首にカフを巻いて測定するタイプの血圧計は、比較的安価なせいか人気が高いですが、日本高血圧学会では、臨床現場用としても家庭用としても、推奨していません。最大の理由は、手首式血圧計では、正確な血圧測定が難しいことにあります。続けて測っても、そのたびに異なる数値が出ることも少なくありません。

これは、手首式血圧計そのものが不正確というわけではなく、測り方の影響を受けやすいためです。手首に血圧計をセットしてボタンを押すだけで測定でき、小さくて持ち運びしやすい点はいいのですが、上腕式血圧計と比べて姿勢の自由がききすぎることが、測定値を不正確にしてしまうわけです。

手首式血圧計も、カフの位置を心臓の高さにして測定することが重要です。心臓より10センチ低くすると血圧が8ミリ高く出てしまいます。手首式血圧計を使用する場合は、心臓の高さで測定できているかをチェックする機能がついた、精度の高い機器を使用することが大切です。

（苅尾七臣）

Q 26 血圧の記録はどうすればいいですか？

普通の手帳に記録してもいいですが、専用の「血圧手帳」を利用すると便利です。朝と夜それぞれの最高・最低血圧、脈拍のほか、血圧の推移グラフを書くスペースがあるものもあります。病院や薬局で配布している場合があるので、かかりつけ医などにたずねてみてください。そのほか、血圧計メーカーや製薬会社のインターネットサイトから無償でダウンロードして入手でき、表計算ソフトを利用してパソコンでデータ管理できるものもあります。最近では、スマートフォンの血圧手帳アプリもあり、数値を入力するだけでグラフ化してくれる便利なものもあります。

いずれの場合も、診療時には7日間の家庭血圧の平均を見て、薬の効果などを判断します。

（苅尾七臣）

血圧手帳の例

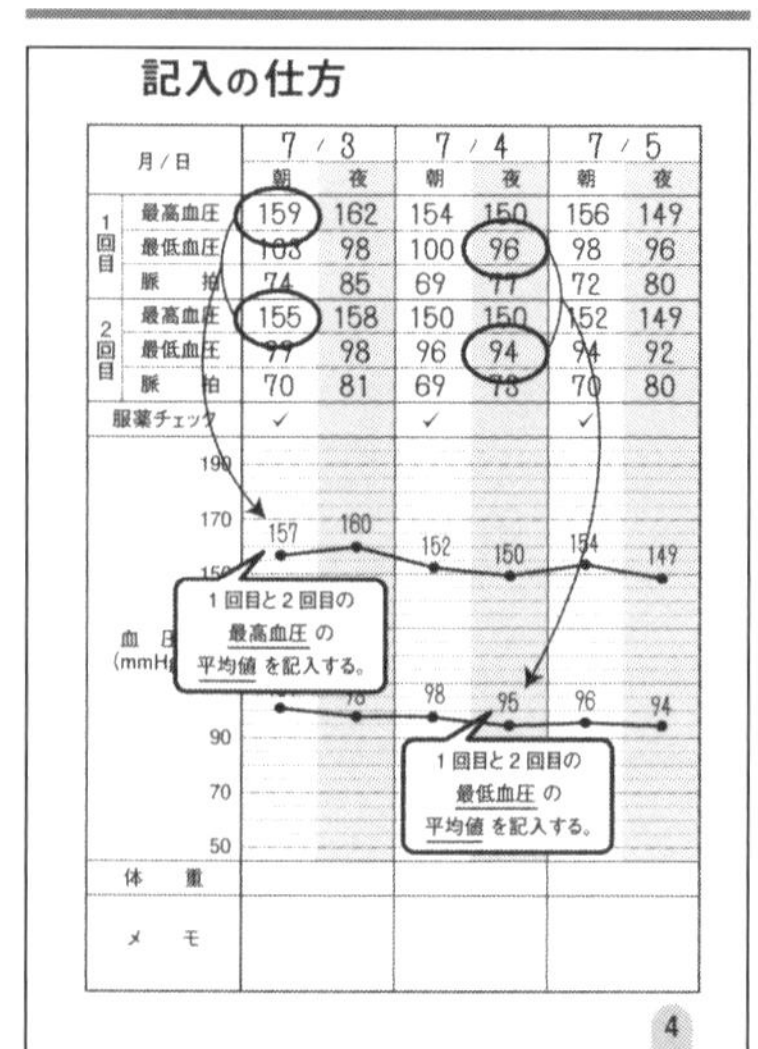

記入の仕方

月／日		7／3 朝	7／3 夜	7／4 朝	7／4 夜	7／5 朝	7／5 夜
1回目	最高血圧	159	162	154	150	156	149
	最低血圧	103	98	100	96	98	96
	脈拍	74	85	69	77	72	80
2回目	最高血圧	155	158	150	150	152	149
	最低血圧	[illegible]	98	96	94	94	92
	脈拍	70	81	69	73	70	80
服薬チェック		✓		✓		✓	

（日本高血圧協会発行　新版 血圧手帳より）
http://www.ketsuatsu.net/ から入手可能

第3章

高血圧の原因についての疑問8

Q27 高血圧の原因には、どのようなことが考えられますか？

高血圧には、特定の病気などが原因で起こる「二次性高血圧」と、原因を一つに絞れない「本態性高血圧」があります。このうち、高血圧の約9割を占めるのが、本態性高血圧です。加齢による動脈硬化も原因となるため中高年に多く、健康診断で高血圧を指摘されるのはたいていこのタイプです。

本態性高血圧の原因には遺伝的なものもあり、両親が高血圧の人は高血圧になる可能性が50％以上といわれています。

また、日本人には塩分をとると血圧が上がりやすい体質（食塩感受性。151ページ参照）の人が多いともいわれています。しかし、本態性高血圧は、もともとの体質に塩分のとりすぎ、過度の飲酒、運動不足や肥満、ストレスといった生活習慣が複雑に組み合わさって起こるため、原因は明確ではありません。

本態性高血圧の原因として遺伝的要因は小さくありませんが、生活習慣を変えることで高血圧を改善できます。

（苅尾七臣）

Q28 高血圧には本態性と二次性の2種があるそうですが、どう違いますか？

本態性高血圧は遺伝的な体質に塩分のとりすぎや運動不足などの生活習慣が加わって起こるもので、加齢によって血管の柔軟性が失われることも誘因の一つとなります。したがって、本態性高血圧の治療は、食事や運動などの生活習慣の改善が重要です。高血圧の重症度や、合併症によっては薬物治療も必要ですが、塩分やアルコールを減らしたり、生活に運動を取り入れたりして生活習慣を変えることは、今すぐにでも自分でできる治療法といえます。

二次性高血圧は特定の病気などが原因で起こる高血圧で、原発性アルドステロン症という副腎（腎臓の上側にある臓器）の病気のほか、慢性腎臓病、腎臓の血管が狭窄して起こる腎血管性高血圧、甲状腺の病気、睡眠時無呼吸症候群、薬の副作用などがあります。注意すべきは慢性腎臓病からくる高血圧です。高血圧で腎機能が低下して腎臓病が悪化し、また高血圧を招くという悪循環に陥る危険性があります。二次性高血圧は、原因となる病気の治療を行うことで高血圧を改善していきます。（苅尾七臣）

Q29 二次性高血圧の割合は少ないのではないですか？

以前は二次性高血圧は非常に少ないと考えられていましたが、現在は、高血圧全体に占める割合は10%以上と、決して少なくないことがわかってきました。中でも「原発性アルドステロン症」という病気が原因となって起こるものが多く、高血圧全体の5～10%を占めると報告されています。原発性アルドステロン症は、副腎皮質（腎臓の上側にある臓器の外側の部分）に腫瘍ができ、副腎からアルドステロンというホルモンが過剰に分泌されることによって起こります。アルドステロンには腎臓が塩分を排泄するのを抑えて血圧を上げる働きがあります。そのため、アルドステロンが増えると、高血圧になってしまうのです。このほか、腎臓病、腎臓の血管の狭窄（腎血管性高血圧）、甲状腺の病気、睡眠時無呼吸症候群、妊娠、薬の副作用によっても高血圧が起こることがあり、原因となる疾患が特定されれば二次性高血圧となります。

（苅尾七臣）

原発性アルドステロン症

腫瘍
副腎
腎臓
尿管
尿道
膀胱

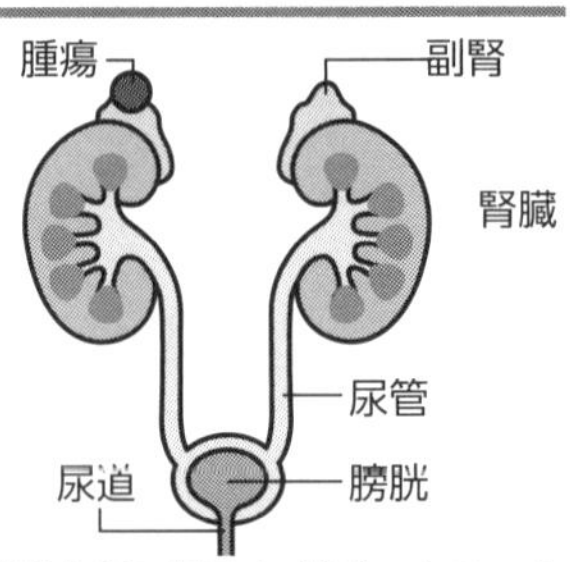

副腎皮質に腫瘍などができることでアルドステロンというホルモンが過剰に分泌され、高血圧に

Q30 二次性高血圧はどのような人が疑われますか？

二次性高血圧が疑われるのは、次のような場合です。

①若年での発症

本態性高血圧は、20～30代のうちは血圧が高めでもおおむね正常範囲で、年を取るにつれて血圧が上がっていきますが、それまで正常血圧だった30歳以下の若い人が急に高血圧になった場合、二次性高血圧が疑われます。

②重症度・進行の速さ

中高年でも、それまで正常血圧だった人が、急に最高血圧１８０ミリ、または最低血圧１１０ミリ以上の重症（Ⅲ度高血圧）の高血圧になった場合は、なんらかの病気による二次性高血圧が疑われます。また、本態性高血圧の人で、数週間のうちに急に数値が上昇して高血圧が進んだ場合、あるいは、それまで降圧薬などでコントロールできていたのに、急に血圧が下がらなくなった場合なども、二次性高血圧が疑われます。

③治療抵抗性高血圧

本態性高血圧と診断されて3種類以上の降圧薬を飲んでいるにもかかわらず、なかなか血圧が下がらないものを治療抵抗性高血圧といいますが、その中には、原因となる病気があるために高血圧になっている場合があります。

④臓器障害が見られる

尿・血液検査、画像診断などで、腎臓（じんぞう）などの臓器障害が見られる場合です。

⑤血圧変動が大きい

昼はそうでもないのに夜の血圧が高いなど、1日のうちの血圧の変動が大きい場合、あるいは、昨日は高かったのに今日は高くないなど、日ごとの変動が大きい場合です。

二次性高血圧が疑われる場合は、血液・尿検査、画像診断などで原因となっている病気などを特定することが重要です。例えば原発性アルドステロン症（54ページ参照）なら副腎の腫瘍（しゅよう）を手術で取り除き、原因を治療すれば血圧を下げることが可能だからです。ただし、原因となる病気によってはむくみ、尿量減少などが起こることがあるものの、高血圧そのものによる症状はほとんどなく、気づかないことも少なくありません。それまで高血圧ではなかったのに健康診断などで急に高血圧を指摘されたといった場合は放置せず、早めにかかりつけ医を受診しましょう。

（苅尾七臣）

Q31 二次性高血圧の原因にはどんなことが考えられますか？

二次性高血圧の原因となる病気は、腎臓と関連するもの、内分泌性のもの、その他に分けられます（58ページの表参照）。

①**腎臓の病気**……腎動脈が狭くなり腎臓への血流が減少して起こる腎血管性高血圧、腎実質（腎臓の血管以外の部分）の障害から起こる腎実質性高血圧があります。

②**内分泌性の病気**……ホルモンが関係するもので、原発性アルドステロン症（54ページ参照）、クッシング症候群、褐色細胞腫、甲状腺の病気（甲状腺機能低下症、甲状腺機能亢進症、副甲状腺機能亢進症）などがあります。

③**その他**……睡眠時無呼吸症候群や大動脈・脳の血管などの動脈硬化も原因となります。薬剤誘発性高血圧といって、降圧薬以外の薬が影響することもあり、例えば、関節痛・腰痛などに用いられる非ステロイド性抗炎症薬（ＮＳＡＩＤｓ）を高齢者や腎機能が低下した人が服用すると、高血圧になる場合があります。漢方薬やサプリメント、嗜好品（健康茶など）が高血圧の原因になることもあります。（苅尾七臣）

二次性高血圧の原因となる主な病気

腎臓の病気	腎血管性高血圧	腎動脈が狭くなったり、つまったりすることにより、腎臓への血流が減り、腎機能が低下する病気
	腎実質性高血圧	血管以外の腎臓そのものの病気
内分泌性の病気	原発性アルドステロン症	副腎皮質の腫瘍によりホルモンの一種アルドステロンが過剰に分泌される病気
	クッシング症候群	副腎皮質の腫瘍によりホルモンの一種コルチゾールが過剰に分泌される病気
	褐色細胞腫	副腎髄質（副腎の中心部分）の腫瘍で、カテコールアミンというホルモンが過剰に分泌される病気
	甲状腺機能低下症（クレチン症）	甲状腺（のどの前面にある器官）から分泌される甲状腺ホルモンが少なくなる病気
	甲状腺機能亢進症（バセドウ病）	甲状腺から分泌される甲状腺ホルモンが過剰になる病気
	副甲状腺機能亢進症	副甲状腺（甲状腺の近くにある組織）から副甲状腺ホルモンが過剰に分泌され、体内のカルシウムのバランスがくずれる病気
その他	睡眠時無呼吸症候群	10秒以上の無呼吸が1晩に30回以上か、1時間に5回以上あるもの
	薬剤誘発性高血圧	非ステロイド性抗炎症薬（NSAIDs）、甘草など、薬の影響で高血圧になるもの
	大動脈縮窄症	心臓から全身に血液を送る大動脈が狭くなる病気
	脳幹部血管圧迫	動脈硬化を起こした脳の血管が血圧をコントロールする神経を圧迫する病気
	高安病	大動脈などに炎症が起こる病気。若い女性に多く、難病に指定されている

（日本高血圧学会「高血圧治療ガイドライン2019」より）

Q32 二次性高血圧の原因になる薬にはどんなものがありますか？

二次性高血圧（薬剤誘発性高血圧）の原因になる薬には次のようなものがあります。

①エストロゲン製剤

女性に特有の病気である月経困難症や子宮内膜症の治療薬として用いられるエストロゲン製剤（低用量ピル）は、フランスでは女性の二次性高血圧の19％に関係しているという報告もあります。

②生薬（漢方薬）

甘草、麻黄、人参といった漢方薬に含まれる生薬（薬効を持つ天然の植物などを薬として用いるもの）により、高血圧になる場合があります。サプリメントや健康茶などに含まれている場合もあります。

③非ステロイド性抗炎症薬（NSAIDs）

頭痛や関節痛の鎮痛薬、解熱薬、抗炎症薬として用いられる薬です。薬剤名としてはシクロオキシゲナーゼ2（COX2）阻害薬、アスピリン、イブプロフェン、ロキ

二次性高血圧の原因になる主な薬

エストロゲン製剤		月経困難症などの治療薬、経口避妊薬、ホルモン補充療法薬
生薬	甘草	芍薬甘草湯、小青竜湯、葛根湯、抑肝散、S·M配合散などに含まれる
	麻黄	麻黄湯、葛根湯などに含まれる
	人参	人参湯、補中益気湯、釣藤散、半夏瀉心湯などに含まれる
非ステロイド性抗炎症薬(NSAIDs)		鎮痛薬、解熱薬、抗炎症薬に含まれる
グルココルチコイド		副腎皮質ホルモンの一種（ステロイド系抗炎症薬）。プレドニゾロンなど
交感神経刺激作用のある薬		総合感冒薬などに含まれるフェニルプロパノールアミン、抗うつ薬（三環系抗うつ薬、四環系抗うつ薬、SNRI）など

（日本高血圧学会「高血圧治療ガイドライン2019」より）

ソプロフェン、ジクロフェナク、インドメタシンなどで、処方薬のほか、市販薬に含まれているものもあります。

④グルココルチコイド

グルココルチコイドは副腎皮質ホルモンの一種です。ステロイド系の抗炎症薬として用いられています。

⑤交感神経刺激作用のある薬

自律神経のうち交感神経（心身を活動的にする働きのある神経）の働きを増す薬です。フェニルプロパノールアミンは、鼻炎薬やセキ止め薬、総合感冒薬、尿失禁の薬などに含まれています。同じく交感神経刺激作用のある抗うつ薬（三環系抗うつ薬、四環系抗うつ薬、ＳＮＲＩ）の中にも、二次性高血圧の原因になるものがあります。

（苅尾七臣）

Q33 高血圧になりやすい性格や体質はありますか？

高血圧になりやすいのは「タイプA」という性格の人です。「攻撃的」を意味する英語「aggressive」の頭文字を取ったもので、心筋梗塞（こうそく）などの冠動脈疾患（しっかん）を起こしやすい人に特有の性格という研究結果があります。冠動脈疾患は高血圧が一因となっているため、タイプAの人は、高血圧になりやすい性格でもあるわけです。

タイプAの人は**生真面目で責任感や競争心が強く、自分にも他人にも厳しいので、物事が思うように進まないとカッとなりやすい性格です。**ストレスを強く感じて交感神経が刺激されやすく、血圧が上昇しやすいのです。

高血圧になりやすい体質としては、日本人に多いといわれている、塩分をとると血圧が上がりやすい体質（食塩感受性。151ページ参照）があります。**両親が高血圧の人は高血圧になる可能性が50％以上、どちらかの親が高血圧の人は約30％といわれます**が、この体質を遺伝的に親から受け継いでいる可能性があります。ただし、体質ではなく、塩分の多い食事や、運動をする習慣がないなどの生活習慣が受け継がれているという可能性もあります。

（桑島　巌）

Q 34

高血圧には発症のしくみで2タイプあると聞きました。どういうことですか?

血管硬化型と体液貯留型の高血圧

	血管硬化型	体液貯留型
発症のしくみ	ストレスから交感神経(心身を活動的にする働きのある神経)の働きが活発になったり、腎臓から分泌されるレニンという酵素が増えた影響で血管が過剰に収縮、高血圧に	高齢、遺伝的体質、塩分過多などにより腎臓の働きが低下し、余分な体液が十分に排泄されずに体内にたまり、血流量が増えて血管が圧迫され、高血圧に
関連物質	神経伝達物質の一種ノルアドレナリン、酵素の一種レニンの分泌量が多い	ANP(心房性ナトリウム利尿ペプチド。体液を排出する作用のあるホルモン)の分泌量が多い
時間帯	早朝に高血圧になる「早朝高血圧」が起こりやすい	常に血流量が多いため、夜間に血圧が下がりにくい「夜間高血圧」が起こりやすい
薬	カルシウム拮抗薬 血管を広げる ARB、ACE阻害薬 血管を収縮させる体内の物質をブロックする	利尿薬 余分な水分を排泄する

高血圧を発症のしくみから分類すると、「**血管硬化型**」と「**体液貯留型**」に分けられます。血管硬化型は血管が狭くなって高血圧になるタイプ、体液貯留型は体内に余分な体液がたまって高血圧になるタイプです。薬の効きが悪い場合などは血液検査で関連物質の数値を調べ、タイプに合った適切な薬を検討する場合があります。

(苅尾七臣)

第4章

血圧の数値についての疑問9

Q 35

脳心血管病を起こす危険度（高血圧の重症度）はわかりますか？

血圧が高値高血圧（診察室血圧130～139ミリ／80～89ミリ）以上になると、脳梗塞や心筋梗塞などの脳心血管病になるリスクが上昇します。これは、九州大学大学院の久山町研究（1961年から続けられている脳卒中、心血管病などの大規模な調査研究）、＊JALSなどの結果から明らかになっています。また、血管がダメージを受けることで腎臓などの臓器にも障害が及びます。高血圧によってリスクが大きくなる脳心血管病や臓器障害には、次のようなものがあります。

①脳の病気……脳出血・脳梗塞、一過性脳虚血発作（TIA）、脳塞栓症、認知症

②心臓・血管の病気……大動脈解離、狭心症、心筋梗塞、心房細動、心不全、心臓の左室肥大、末梢動脈疾患、腹部動脈瘤

③腎臓の病気……慢性腎臓病、腎硬化症

高血圧以外の脳心血管病のリスクを高める危険因子には、次のようなものがあります。

＊JALS＝Japan Arteriosclerosis Longitudinal Study. 国内で行われた特定集団を対象とした比較・追跡調査研究を統合する調査研究

高血圧と脳心血管病リスク

リスク層と危険因子 ＼ 血圧分類	高値血圧 130～139ミリ／80～89ミリ	Ⅰ度高血圧 140～159ミリ／90～99ミリ	Ⅱ度高血圧 160～179ミリ／100～109ミリ	Ⅲ度高血圧 180ミリ／110ミリ以上
リスク第1層 危険因子がない	低リスク	低リスク	中等リスク	高リスク
リスク第2層 65歳以上、男性、脂質異常症、喫煙のいずれかがある	中等リスク	中等リスク	高リスク	高リスク
リスク第3層 脳心血管病既往、非弁膜症性心房細動、糖尿病、たんぱく尿のある慢性腎臓病のいずれか。または、リスク第2層の危険因子が3つ以上ある	高リスク	高リスク	高リスク	高リスク

（いずれも診察室血圧／日本高血圧学会「高血圧治療ガイドライン2019」より）

年齢（65歳以上）、性別（男性）、喫煙習慣、糖尿病、脂質異常症（40ミリグラム以下の低HDLコレステロール血症、140ミリグラム以上の高LDLコレステロール血症、150ミリグラム以上の高中性脂肪血症）、脳心血管病になったことがある、慢性腎臓病（たんぱく尿、腎機能低下）、肥満

高血圧とこれらの危険因子が組み合わさると、上の表のように、脳心血管病のリスクが一層高まります。

例えば、高値血圧以上の人で「65歳以上・男性・脂質異常症・喫煙習慣」のうち3つ以上に当てはまれば、脳心血管病になるリスクが高い「高リスク」となります。（苅尾七臣）

Q 36

「最高血圧が高いだけなら心配ない」は本当ですか？

最高血圧と最低血圧の差を脈圧といい、若いうちはほぼ一定ですが、高齢になると脈圧が上昇、つまり、差が大きくなってきます。かつては脈圧の大きさは問題ないといわれていましたが、近年の研究でそれは誤りだとわかってきました。**脈圧が大きい場合、大動脈などの太い血管が動脈硬化を起こしている疑いがあるからです。**

心臓が収縮して血液を送り出すと、約6割の血液はすぐ全身へと流れます（このときの血圧が最高血圧）。残りの4割は大動脈にとどまり、心臓が拡張するさいに大動脈が縮むことで全身へ送られます（このときの血圧が最低血圧）。最低血圧が低いということは、大動脈が柔軟性を失い、残り4割の血液を送り出す収縮力をなくしているということです。つまり、大動脈で動脈硬化が進んでいるのです。

脈圧が60ミリ以上ある場合は危険です。特に、60歳以上で最高血圧が160ミリ以上と高血圧の基準値を超えているのに、最低血圧は基準値以下で、しかも年々低下しているといった場合は、注意が必要です。

（高沢謙二）

Q37 「最低血圧が高いだけなら心配ない」はどうですか？

60歳未満の人で最高血圧が正常なのに最低血圧が高い場合、末梢（まっしょう）血管（細い血管）で動脈硬化を起こしている可能性があり、放置すれば全身に動脈硬化が広がる危険性があります。脳の末梢血管で動脈硬化が起これば、症状の出ない「隠れ脳卒中」である微小脳梗塞（こうそく）や微小脳出血（無症候性脳血管障害。76ページ参照）の危険性も高まります。また、腎臓（じんぞう）の細い血管で動脈硬化が起こると、腎機能が低下して腎臓病を発症したり、塩分の排泄（はいせつ）がうまくできなくなってさらに高血圧が悪化したりします。

末梢血管の動脈硬化の診断には、平均血圧が有効です。健康な人の平均血圧は90ミリ前後で、１１０ミリ以上なら末梢血管で動脈硬化が起こっている疑いがあり、１２０ミリ以上ならかなり進行していると診断されます。

（高沢謙二）

平均血圧（近似値）の求め方

平均血圧（ミリ）

$$\boxed{\quad} = \text{最低血圧} + \frac{\text{最高血圧} - \text{最低血圧}}{3}$$

【例】最高血圧130ミリ、最低血圧100ミリの場合は
（130ミリ－100ミリ）÷3＋100ミリ＝110ミリとなる。

Q 38

高血圧には血圧の上がり方でタイプがあるそうですね？

血圧は常に一定ではなく、１日のうちでも夜眠ると下がり、起床するとやや上がりますが、これは正常な変動です。ところが、中には特定の時間帯にだけ突出して高血圧になる人がいます。健康診断などの診察室血圧ではなかなか把握できない仮面高血圧（40ページ参照）と呼ばれるものの一種で、家庭血圧を細かく測定したり、24時間血圧測定（自由行動下血圧測定＝ＡＢＰＭ。78ページ参照）をしたりして、初めて判明します。

どの時間帯に血圧が上がりやすいのかがわかれば、薬を飲む時間を調整したり、日常生活で注意すべきポイントを見つけたりしやすくなります。自分の血圧タイプを調べて、危険な時間帯を把握しておきましょう。

①早朝高血圧

起床直後に血圧サージ（30ページ参照）が起こるタイプです。睡眠中は血圧が下がるのに、起床すると急激に血圧（家庭血圧）が１３５ミリ／85ミリ以上に上がり、その後正常値まで下がります。このような急変動は血管にダメージを与えて動脈硬化を招き、起

早朝・昼間・夜間高血圧

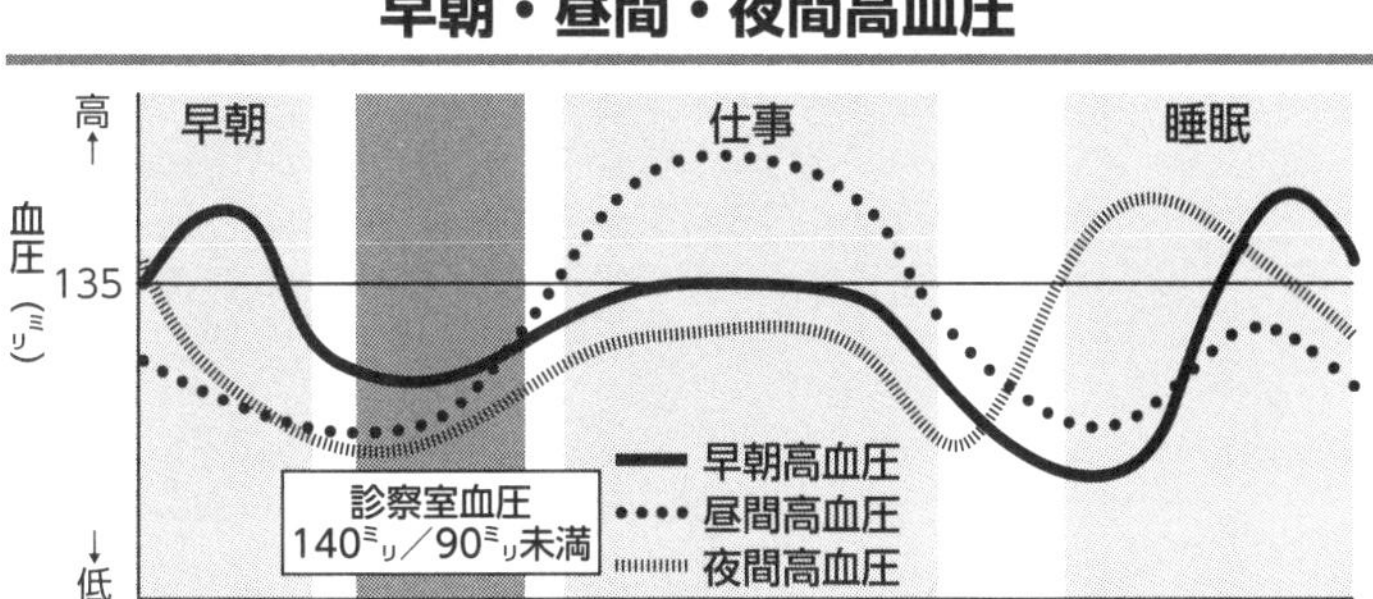

(Kario K, et al. Clinician's Manual on Early Morning Risk Managemant in Hypertension. Science Press; 2005)

床時に脳心血管病（脳卒中や心筋梗塞（こうそく）など）の発作を起こす危険性が高くなります。

②昼間高血圧（職場高血圧）

昼間に血圧（家庭血圧）が１３５ミリ／85ミリ以上に上がるタイプです。仕事や家庭問題などで強いストレスにさらされていることが原因で、ストレス対策が必要です。ストレスから不眠になり、その影響で夜間高血圧も見られることがあり、その場合は一層、脳心血管病のリスクが高まります。

③夜間高血圧

睡眠中の血圧が十分下がらない（１２０ミリ／70ミリ以上ある）タイプです。夜、脳卒中や心筋梗塞を起こす危険性が高いので注意が必要です。夜間高血圧で最もリスクが高いのは睡眠時無呼吸症候群の人で、夜間血圧が十分に下がらないまま朝を迎えてさらに上がり、昼間まで高血圧が持続することもあります。

（苅尾七臣）

Q 39

朝の起床後だけ血圧が高くなります。心配いりませんか？

明け方から起床時までに血圧が急上昇するタイプの高血圧を、**早朝高血圧**といいます。病院で測る診察室血圧ではなかなか把握できない仮面高血圧（40ジペー参照）の一種です。

起床後30～60分以内に排尿をすませてから血圧を測定し、最高血圧が135ミリ以上または最低血圧が85ミリ以上の日が1週間に2日以上ある場合、早朝高血圧の疑いがあります。

眠っているときは、自律神経（意志とは無関係に血管や内臓の働きを支配する神経）のうち副交感神経（心身をリラックスさせる神経）が優位に働いています。早朝はそれが交感神経（心身を活動的にする働きのある神経）に切り替わるときで、本来であれば最も血圧が下がっているはずの時間帯（基底血圧という）です。その後起床すると、ふつうは徐々に血圧が上昇していくのですが、高齢者や血糖値の高い人、コレステロール値の高い人、アルコール摂取量の多い人は、起床直後に血圧が急上昇する**血圧サ**

ージ（30ページ参照）が起こりやすいといわれています。

早朝から正午までの時間帯は、眠っている間に体内の水分量が減ることなどにより、血栓（血液が凝固した塊）ができやすいといわれています。早朝高血圧で血圧が高い状態のところに血栓ができれば、血管がつまる危険性も高くなり、脳卒中、心筋梗塞（こうそく）などの脳心血管病の発作が起こりやすくなります。実際、これらの発作は、**早朝から正午までの時間帯に起こることが多い**というデータがあります。

健康な人でも早朝は血圧が20ミリは上昇するといわれています。早朝高血圧の人は、脳心血管病の発作を予防するために、起床後2時間くらいは、血圧が上がるような行動（薄着のまま急に寒い廊下などへ出る、冷たい水で洗顔する、トイレでいきむ、起き抜けに喫煙するなど）を慎むようにしましょう。

なお、夜間の血圧が高い**夜間高血圧**のうち、ノンディッパー型と呼ばれるタイプは、夜間血圧が昼間血圧に比べて10％未満しか下がらないまま朝まで持続するため、早朝の血圧も基準値を超えて高くなる場合があります（72ページ参照）。糖尿病や腎臓（じんぞう）病、睡眠時無呼吸症候群の人に多く見られ、やはり脳心血管病のリスクが高いとされており、夜間の血圧を下げる治療が必要です。

（桑島　巌）

Q40 「夜間高血圧」はどんなタイプが危険ですか？

血圧の日内変動（1日のうちに起こる血圧の上昇や低下）で、夜間血圧が昼間血圧の10％以上20％未満の範囲内で下がるものをディッパー型（ひしゃく型）といいます。これは正常な変動なので、治療の必要はありません。

一方、夜間に血圧が上昇するタイプ（ライザー型）や、夜間の血圧の低下が少ないタイプ（ノンディッパー型）は、夜間高血圧（睡眠中の血圧が120ミリ／70ミリ以上あるもの）と合併した場合は危険です。昼間の診察室血圧が正常範囲内であったとしても、寝ている間の高血圧で血管がダメージを受けるため、脳心血管病（脳卒中や心筋梗塞（こうそく））や腎臓（じんぞう）病などの危険性が高まります。

①ライザー型

割合は小さいですが、昼間より夜間のほうが血圧が上がるタイプです。ストレスなどからくる自律神経障害、睡眠時無呼吸症候群などが原因となります。

②ノンディッパー型

夜間血圧が昼間血圧に比べ10％未満しか下がらないもので、最もよく見られるタイ

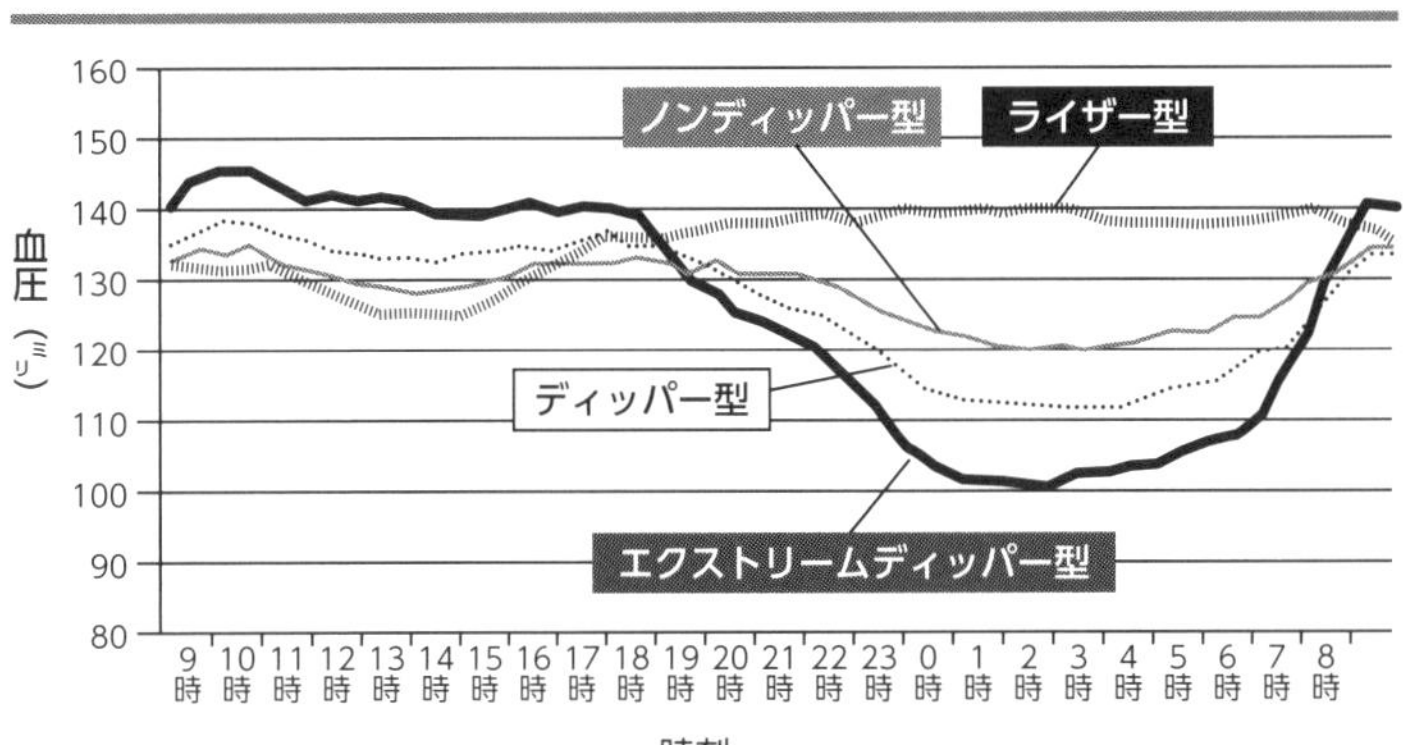

プです。塩分のとりすぎ、喫煙などの生活習慣や、糖尿病、腎臓病、睡眠時無呼吸症候群などが原因となります。

③エクストリームディッパー型

夜間の血圧低下が昼間の20％以上と大きく、起床直前に血圧が急上昇するタイプです。脱水している場合や、降圧薬（特に利尿薬）が効きすぎている場合に、このタイプの異常が生じることがあります。

ライザー型とエクストリームディッパー型は脳心血管病のリスクが高く、脳の細い血管がつまる無症候性脳血管障害（76ページ参照）を起こし、これを見過ごせば命にかかわるような脳梗塞を起こすことがあります。さらに、これをくり返すことで脳の血流が悪くなり、血管性認知症になる危険性もあります。

また、ライザー型は特に心不全のリスクが高いため、早期発見による治療が重要です。（苅尾七臣）

Q41 血圧を左右の腕で測ると数値がかなり違いますが大丈夫ですか？

血圧は右腕で測るほうが左腕より高いことが多いですが、これは主に心臓と血管の構造によるもので、その差は誤差としていい程度のわずかなものです。

しかし、**常に左右の差が15ミリ以上ある場合は**、低い側のどこかの血管に動脈硬化や**大動脈解離**（大動脈の血管壁の層構造がはがれる病気）、**大動脈瘤**（大動脈の血管壁が膨らんでこぶ状になる病気）などの病気が起こっている疑いがあります。これらの影響が脳や心臓に及べば、命にかかわる**脳心血管病**（脳卒中や心筋梗塞、狭心症など）の原因となるので、血圧の左右差が大きい場合は、くわしい検査が必要です。

血圧に左右差が生じる原因として最も多いのは、鎖骨下動脈に起こる動脈硬化です（次ページの図参照）。

鎖骨下動脈は心臓から出た大動脈から枝分かれする動脈で、左右に一対あります。名前のとおり鎖骨の下を通る形で大きくカーブして、左右の上腕動脈（血圧を測る部分の動脈）へとつながっています。このカーブ部分は、心臓から出たばかりの勢いのある血液の圧力を受けやすく、動脈硬化が生じやすいところです。

鎖骨下動脈の動脈硬化のやっかいな点は、病気のある側の血圧が下がることです。例えば左側の鎖骨下動脈に動脈硬化があっても、いつも左側で血圧を測っていれば数値は低く、動脈硬化の進行に気づくのが遅れます。いわば「隠れ動脈硬化」で、これを発見するポイントが、左右の血圧差なのです。

左右の血圧差が大きい人ほど、高血圧のほか、脂質異常症、糖尿病などの生活習慣病である可能性が高く、若い女性では高安病（たかやす）（58ページ参照）になりやすいという報告もあります。いずれも悪化しないと症状が現れにくい病気ですが、**年に１回は左右の血圧を比較し**、差が大きければ主治医に相談しましょう。（高沢謙二）

鎖骨下動脈の動脈硬化による血圧の左右差の例

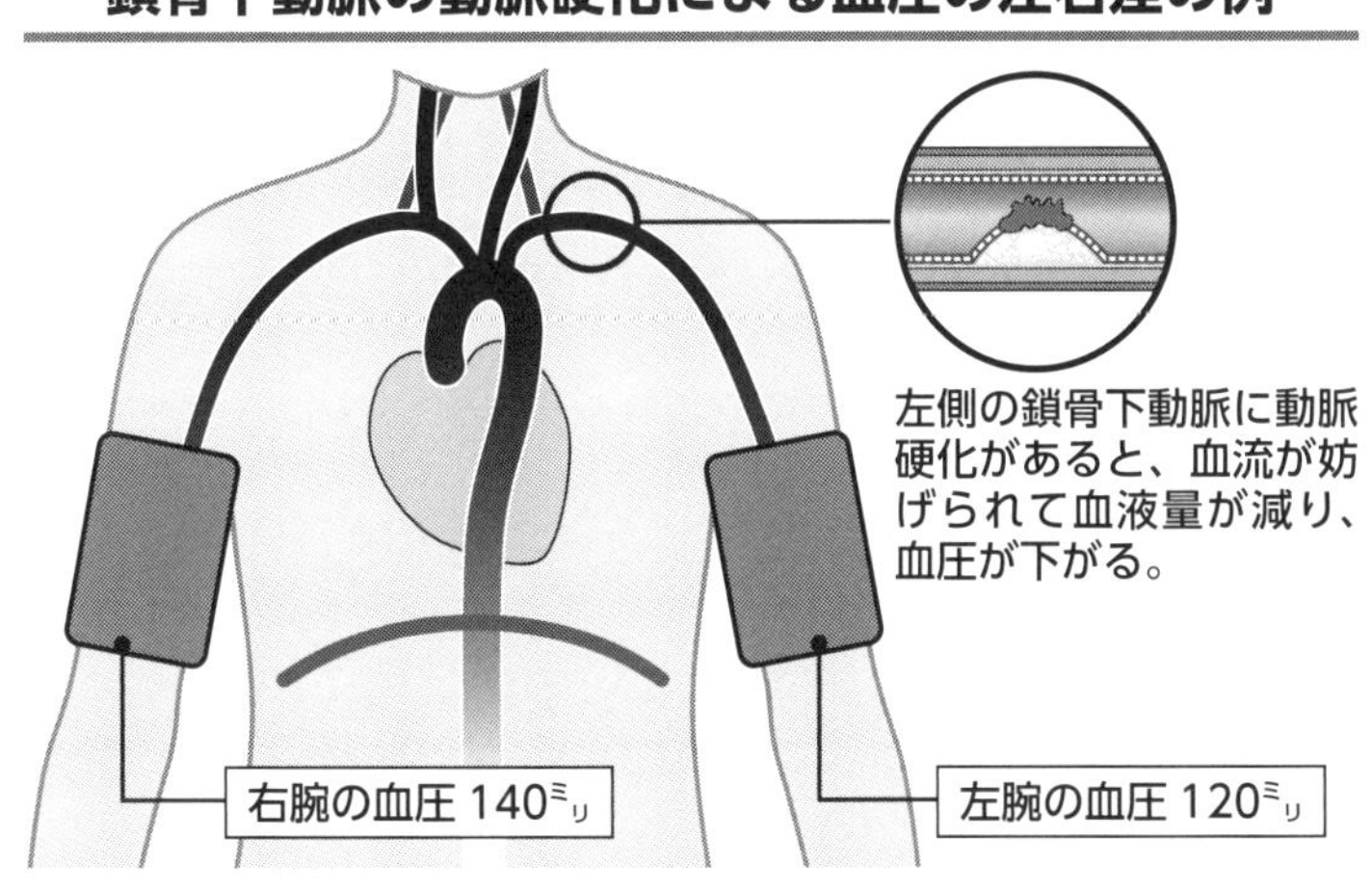

Q42 血圧を立って測るといいと聞きました。なぜですか？

血圧は姿勢によってわずかながら変動し、一般的には寝ているときが一番低く、次いで座った姿勢、立った姿勢の順で高くなります。しかし、中には少し姿勢を変えただけで大きく血圧が変動する人がいます。このような「血圧の変動のしやすさ」を見るためには、座った姿勢のほかに立った姿勢でも血圧を測る「**起立血圧測定**」という方法が有効です（次ページの図参照）。

血圧が変動しやすいかどうかを確認することは、脳卒中（脳梗塞・脳出血）の予防のために重要です。ずっと血圧を正常値に保っていた人が脳卒中で突然倒れた場合、脳を検査すると、倒れる原因となった脳卒中のほかに小さな出血や脳梗塞が見つかることがあります。倒れる前から、症状の出ない小さな脳梗塞や脳出血（無症候性脳血管障害）を何度も起こしていたのです。軽い動作で血圧が上がる人は、気づかないうちにこのような「隠れ脳卒中」を起こしている可能性があります。

これには脳の穿通枝（穿通動脈）という血管が関係しています。血管は太いものから枝分かれしながら徐々に細くなっていきますが、穿通枝は太い血管から直接枝分かれする０・５ミリほどの細い血管で、太い血管の圧力の影響を受けやすく、血圧の変動が大きいとつまったり破れたりして、小さな脳梗塞や脳出血を起こしやすいのです。

５日続けて測定し、「座って測った最高血圧の平均値」と「立って測った最高血圧の平均値」を比較します。どちらが高くても、差が10ミリ以上あれば、「血圧が変動しやすい」といえます。注意すべきは、それぞれの最高血圧が基準値以下でも、差が10ミリ以上あれば脳卒中を起こす危険性が高いという点です。**月に1度は起立血圧を測定し、差が10ミリ以上あったら、かかりつけ医に相談しましょう。**（苅尾七臣）

起立血圧測定のやり方

①イスに座り、心臓の高さに合わせて上腕にカフを巻き、血圧を２回測定する。

②座ったまま５分間安静にする

③カフを巻いたままその場で立ち上がり、３分以内に血圧を測る。続けて２回めも測る。
＊カフのコードが短ければ血圧計を台に乗せるか、手で持つ。

④５日続けて測定し、「座って測った最高血圧の平均値」と「立って測った最高血圧の平均値」を比較する。

最高血圧の平均値の差が10ミリ以上あれば主治医に相談

Q
43

血圧を24時間測定することはできないのですか？

医療機関から携帯型の血圧計を借り、24時間連続して血圧を測ることができます。ABPM（自由行動下血圧測定。Ambulatory Blood Pressure Monitoring）といい、上腕部にカフを巻き、血圧計本体を腰に着けるなどして24時間過ごす間に、自動的に15〜30分おきに血圧が記録されるしくみです。測定回数が増えるため、より実態に近い測定結果を得られます。本体はスマートフォン程度の重さで、食事・仕事・家事など、通常の活動はいつもどおり自由にできます（一時的にはずして入浴も可能）。

診察室血圧・家庭血圧だけではわからない仮面高血圧や白衣高血圧の疑いがある場合など、医師が必要と認めれば保険適用となり、自己負担も少なくてすむので、数値の変動が大きく心配な人は、かかりつけ医や、高血圧専門医に相談してみましょう。（苅尾七臣）

ABPM（自由行動下血圧測定）

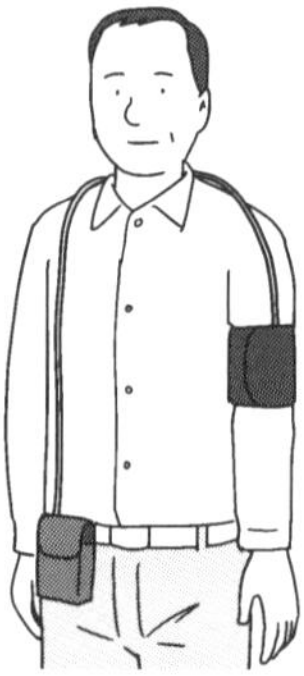

医療機関から貸し出された血圧計を身に着けて、15〜30分おきに血圧を24時間自動的に記録。翌日医療機関に血圧計を返却し、後日、数値やグラフなどを記した測定結果を受け取る。

第5章

合併症についての疑問8

Q44

高血圧の何がそんなに問題なのですか？

健康診断などで高血圧を指摘されても、自覚症状がなく、「何が問題なのかよくわからない」という人も少なくないかもしれません。しかし、高血圧は、「健康」という家が、土台から蝕（むしば）まれているような状態なのです。

高血圧の一番の問題は、動脈硬化を招くという点です。

血圧が高い状態が続くと、血管壁は常に強い圧力を受けつづけるため、やがて壁の内側（内膜）が傷つき、裂けめができて、そこに血液中の悪玉（LDL）コレステロールが入り込みます。血液中で異物と戦うマクロファージ（白血球の一種）は、コレステロールを食べて処理しようとしますが、量が多すぎると対応しきれず、コレステロールとともに血管内膜にたまっていきます。さらに、そこに血小板もくっついてくるようになって、血管がどんどん狭くなり、血管の壁が厚く硬くなっていきます。これが動脈で起こるのが、動脈硬化です。

血管壁が厚く、硬くなるからといって、鉄の管のように丈夫になるわけではありません。動脈硬化を起こした血管は、古いゴムホースが弾力性をなくし、硬くなった状態に似ています。ちょっとしたことで傷つき、裂けてしまうかもしれません。
しかし、動脈硬化も自覚症状は全く現れず、さらなる高血圧を招きます。動脈硬化で狭くなった血管では、血流が悪くなるため、心臓は強い力で血液を送ろうとします。すると、血管にかかる圧力がさらに高まり、高血圧が悪化していきます。どこかで治療しないかぎり、高血圧が動脈硬化を招き、動脈硬化がまた高血圧を招くという悪循環に陥ってしまうのです。

動脈硬化の影響は脳・心臓・腎臓（じんぞう）・足・目など、全身に及びます。脳卒中や心筋梗塞（こうそく）の発作で命を失ったり、助かっても後遺症が残ったりすることもあります。高血圧を放置する怖さはここにあります。

動脈硬化はいわば血管の老化なので、年齢とともに進むのが普通です。しかし、高血圧を治療せずに放置すると、血管は実年齢以上の大変なスピードで老化していきます。髪が白くなったとか、肌の張りがなくなったといった老化は目に見え、誰でも気にするものですが、高血圧や動脈硬化は目に見えず、油断しがちです。しかし、「血圧が高い」ということは、血管の老化が静かに進行しているということなのです。

血管の若々しさを保つためには、高血圧の治療が欠かせません。高血圧の人は、今日から降圧に取り組みましょう。

（島田和幸）

Q45 高血圧の人が合併症を疑い救急車を呼ぶべき症状はありますか？

高血圧の人に激しい頭痛や吐きけ、動悸(どうき)、胸の激痛などの急性の症状が起こった場合、高血圧緊急症（悪性高血圧）の可能性があります。血圧が急上昇（しばしば200ミリ以上の非常に高い血圧）してそのまま下がらなくなるもので、深刻な合併症に直結する場合があります。次のようなウォーニングサイン（病気を警告する症状）が現れた場合は、すぐに救急車を呼ぶべきです。

①心臓・肺の症状……心不全（心臓が十分に働かない状態）や、心不全から肺機能が悪化して肺水腫(しゅ)（肺に水がたまった状態）になると、呼吸困難や息切れ、動悸、むくみ、疲労感、寒けなどの症状が現れます。

②血管の症状……大動脈の血管壁が裂ける大動脈解離(かいり)や大動脈瘤(りゅう)破裂が起こることがあります（88ページ参照）。血管が裂けたり破裂したりした位置によって胸・背中・おなかに激痛が起こったり、呼吸困難に陥ったりすることもあります。大動脈からの出血により脳への血流が減ると、昏睡(こんすい)状態に陥ります。

脳梗塞のウォーニングサイン「FAST」

脳梗塞の前兆として命の危機が迫っていることのサイン。
一刻も早く受診するよう警告する意味で「FAST」（早く）とされる。

F　Face　顔

- 笑うと顔の片側がゆがむ
- 顔の筋肉が左右対称に動かない
- 口が閉まらない
- 片方の目の視界が欠けるか、見えない
- 左右の目がバラバラに動く

A　Arm　腕

- 両腕を前に持ち上げると、片側の腕だけ落ちてしまう

S　Speach　話す能力

- ろれつが回らない
- 短い言葉でも、うまく話せない
- 会話の言葉の意味がわからない
- 話がまとまらず、意味が通じない

T　Time　すぐ病院へ

- 発症時刻を確認しすぐに救急車を呼ぶ

③**脳の症状**……脳の血管が破れると脳出血、血管がつまると脳梗塞になることがあります。激しい頭痛、吐き け・嘔吐、けいれんや、意識障害（もうろうとして周囲の刺激に反応できない状態）、大きないびき、手足や半身のしびれ・マヒ、まっすぐ歩けない、ろれつが回らないといった症状が現れます。

④**腎臓の症状**……腎不全（腎臓が十分に働かない状態）になると、尿の量が減少したり、全く出なくなったりするほか、全身に強いむくみが現れ、重症になれば頭痛や吐きけ・嘔吐、意識障害などが現れる尿毒症になることがあります。

（島田和幸）

Q46 どんな症状が現れたら合併症を疑い病院に急ぐべきですか？

高血圧の人に、次のようなウォーニングサイン（病気を警告する症状）が出た場合は、高血圧から深刻な病気を合併する前ぶれの可能性があります。「救急車を呼ぶほどでもないからようすを見よう」と、時機を逃すと、さらに症状が進んでしまうかもしれません。早めの受診をおすすめします。

①血栓ができているときの症状……高血圧から動脈硬化が進行すると、血栓（凝固した血液の塊）ができやすくなり、血栓が心臓に続く血管でつまると、胸に違和感や痛みを感じることがあります。速足で歩いたときに胸が痛む、早朝や寒い日に胸が痛む、あるいは、なんとなく胸に違和感があるといった症状は、血栓のサインです。つまっていた血栓が流れて、脳の血管をつまらせてしまうこともあります。

②不整脈（心房細動）の症状……動悸（どうき）が不規則に感じられたら、心房細動の疑いがあります。通常、心臓は1分間に60～100回、規則的に拡張と収縮をくり返しています。心臓から不規則な電気信号が出て、このリズムが乱れるのが不整脈です。心

房細動は脈が速くなるタイプの不整脈で、１分間に４００回以上の速さで震えるように拍動します。心房細動が起こると心房に残った血液がよどんで血栓ができやすくなり、これが脳に至れば、脳梗塞を引き起こします。心房細動からの脳梗塞は重症化しやすく、命を失ったり、後遺症が残る危険性が高いとされています。

③閉塞性動脈硬化症の症状……歩いているうちに片足にしびれや痛みを感じて歩けなくなるが、しばらく立ち止まったり腰かけたりして休むと再び歩けるようになる症状を、間欠性跛行といいます。腰部脊柱管狭窄症という背骨の神経が圧迫される病気で起こることもありますが、動脈硬化から血流が悪くなって起こる閉塞性動脈硬化症が原因の場合、片足に症状が出ることが多いという特徴があります。

④大動脈瘤の症状……胸部の大動脈に大動脈瘤（88ページ参照）ができて周囲の神経を圧迫すると、のどの筋肉が動かしにくくなり、声がかすれたり（嗄声）、物が飲み込みにくくなったり（嚥下障害）といった症状が見られます。

⑤微小脳梗塞（無症候性脳血管障害。76ページ参照）の症状……突然手足などにしびれが出たり、いつのまにか治ったりする症状があれば、脳の毛細血管で小さな脳梗塞が起こっている疑いがあります。血圧を正常にコントロールできていても、突然大きな発作を起こす可能性もある、危険な前ぶれです。（島田和幸）

Q47 高血圧の合併症は脳卒中と心筋梗塞くらいですか？

高血圧は、放置すれば血管にダメージを与え、血管に関係するあらゆる病気を招きます。合併症は、次のように多岐にわたります。

①脳の病気
・脳卒中（脳出血・脳梗塞・一過性脳虚血発作・くも膜下出血）
・脳血管性認知症……脳出血や脳梗塞によって脳細胞がダメージを受け、記憶障害や認知機能障害（言葉・動作・計算・学習・判断能力などの障害）を起こす病気です。
②目の病気……網膜の毛細血管の動脈硬化により高血圧性網膜症を起こし、眼底出血や視力低下などが起こります。血流悪化により緑内障になるリスクも高まります。
③心臓の病気……心筋梗塞、狭心症、心臓弁膜症、心房細動、心不全など。
④血管の病気
・大動脈瘤（胸部・腹部）、解離性大動脈瘤……大動脈や腹部動脈の血管壁の弱くなった部分が膨らんで破裂したり、血管壁の層が裂けたりして出血する病気です。

・**末梢動脈疾患（閉塞性動脈硬化症）**……脳と心臓以外の血管、特に手足の血管の動脈硬化による血流悪化で、間欠性跛行（一度に長く歩けない）などが起こります。

⑤**腎臓の病気**……腎臓の血管に動脈硬化が起こり、腎機能が低下したものを**腎硬化症**といい、腎機能が60％未満に低下すると**慢性腎臓病（ＣＫＤ）**となります。腎機能が著しく低下して腎不全になると、人工透析や腎移植が必要となります。

⑥**糖尿病**……糖尿病患者の４～６割は高血圧を併発しており、相互に関連があります。

⑦**その他**……カルシウムを尿中に排泄する作用が強まると同時に血液から骨への栄養吸収が減少するため、**骨粗鬆症**の原因となります。動脈硬化を起こした毛細血管が死滅して減少すると、肌の弾力が失われるなどの老化が進みます。（市原淳弘）

高血圧の主な合併症

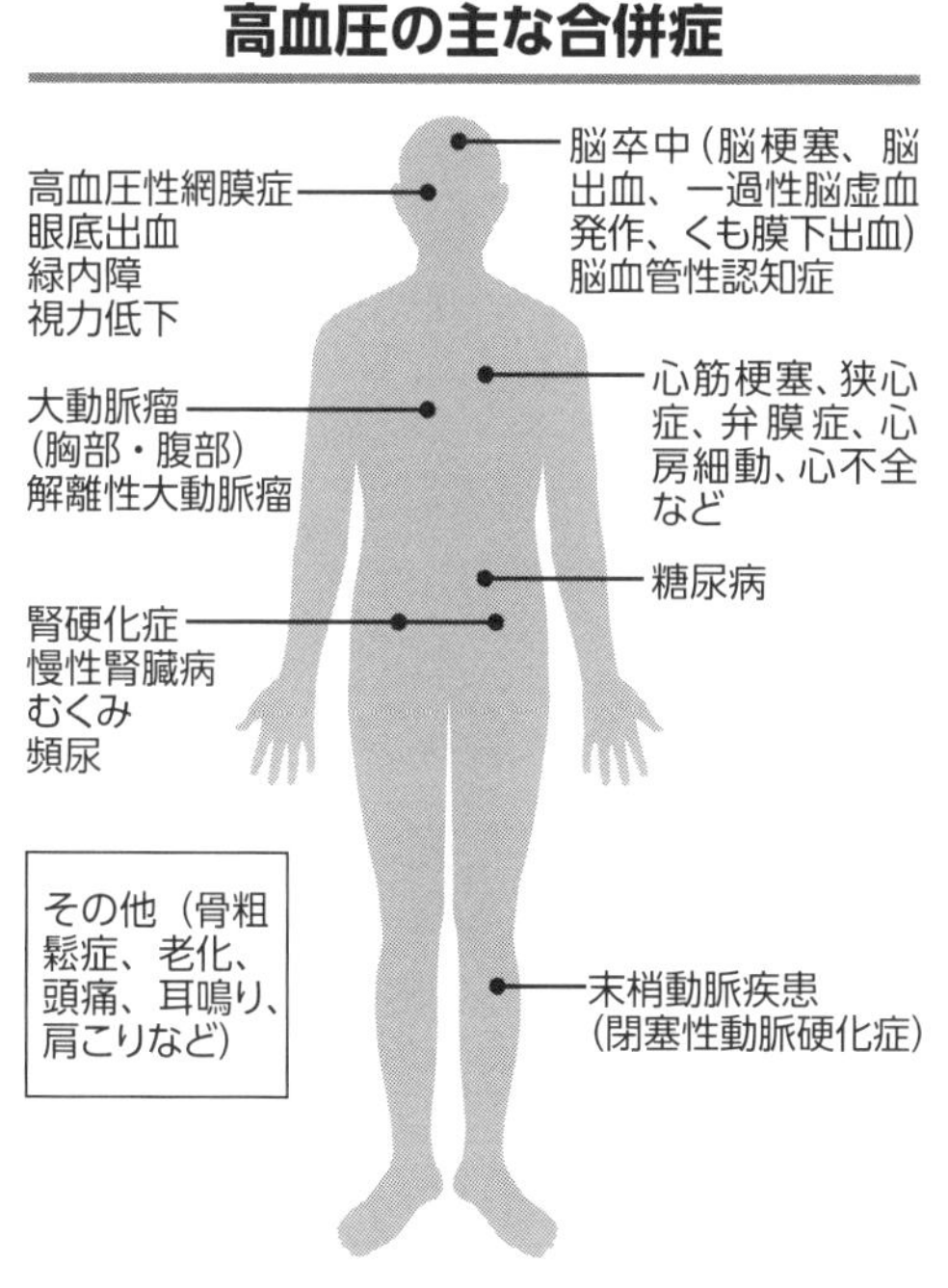

Q48 高血圧の人に多い「解離性大動脈瘤」はどのような病気ですか？

大動脈の血管壁は内膜・中膜・外膜の3層構造になっていて、本来は心臓から送り出される血液による強い血圧に耐えるだけの、十分な弾力性と強靱さを持っています。ところが、なんらかの原因で大動脈の内膜に裂け目ができ、そこから血管壁の内部に血液が流れ込んで、本来の血液の流れ道とは別に道ができることがあります。このように裂け目のできた状態を「大動脈解離」といい、裂け目から血液が中膜に流れ込んでコブ（瘤）のように膨らんだ状態を「解離性大動脈瘤」といいます。

実は、大動脈解離がなぜ起こるのか、はっきりした原因は不明です。ただ、高血圧の人に多く見られるため、動脈硬化で血管がもろくなることが関係していると考えられています。

大動脈にコブができても、最初は症状がなく、健康診断などで偶然発見されることがほとんどです。しかし、コブが大きくなって周囲の神経や組織、臓器を圧迫すると、セキが出たり、声がかすれたり、物が飲み込みにくくなる嚥下障害などが起こる

解離性大動脈瘤

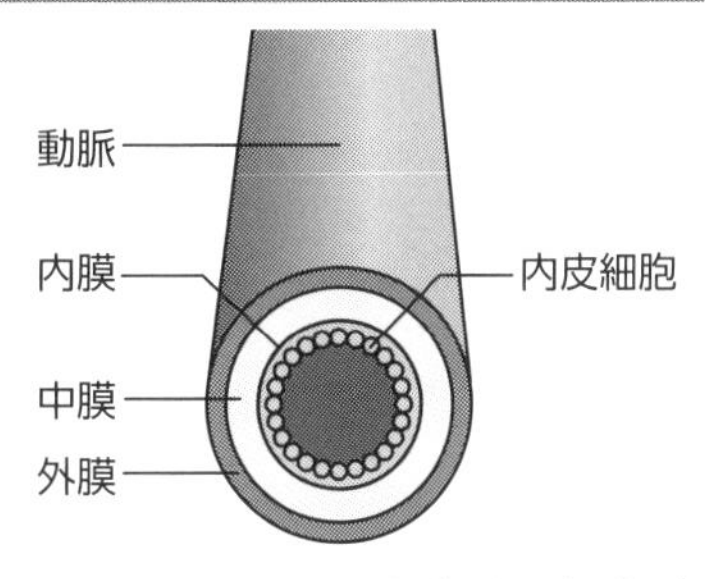

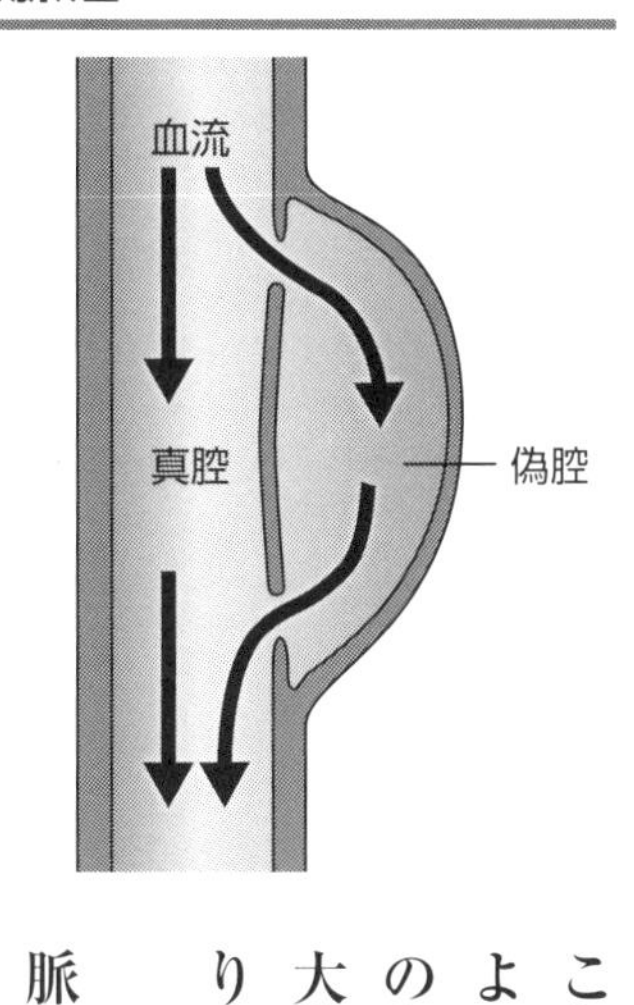

解離性大動脈瘤は、大動脈の内膜が裂け、裂け目から血液が中膜に流れ込み、中膜が膨らむ。コブ（偽腔）の外側には外膜しかないため圧力に弱く、破裂した場合は命にかかわる事態になる。

ことがあります。また、大動脈が膨れることによって、心臓から大動脈に血液を送り出す部分の弁が広がり、きちんと閉じられなくなって、大動脈弁閉鎖不全症という病気になることもあります。

コブの外側には外膜1枚しかないため、大動脈の強い血圧を受け、破裂することがあります。破裂する直前には、コブのできた場所によって胸、背中、おなかに痛みを感じたり、吐きけがしたりといった症状が現れます。破れて出血すると激痛となり、呼吸困難に陥ることもあります。出血によって血圧が急激に低下すれば、ショックで突然死する危険性もあります。また、心臓を包む膜の中に血液が流れ込み、その圧力で心臓が動かなくなってしまう、心タンポナーデを起こすこともあります。（市原淳弘）

Q49

高血圧をほうっておくとどんな異常が現れますか？

自覚症状がないために放置されがちな高血圧ですが、高血圧の影響は、全身のあらゆるところに及びます。高血圧を指摘されたら、すでに脳心血管病などのリスクが高まっているということを自覚して、毎日の生活習慣を見直し、血圧コントロールを始めることが重要です。

とはいえ、高血圧を放置する危険は忘れられがちです。そこで、高血圧の影響の及ぶ範囲と、将来の合併症リスクを表す「このしめじ」「どくきのこ」という言葉を覚えておいてください（合併症についてくわしくは86ページ参照）。

高血圧のリスク

こ … 骨（こつ）	ど … 動脈硬化
の … 脳	く … くも膜下出血
し … 心臓	き … 急性心筋梗塞
め … 目	の … 脳梗塞
じ … 腎臓	こ … 骨粗鬆症

例えば、高血圧になると、カルシウムを尿中に排泄（はいせつ）する作用が強まると同時に、血液から骨への栄養吸収が減少して骨粗鬆症（こつそしょう）のリスクが高まります。高血圧を

3年以上放置した場合、骨折リスクが1・2倍近く高まるといわれています。

高血圧になると血栓（血液が凝固した塊）ができやすいため、診察室血圧で最高血圧140ミリ以上の人は、脳卒中のリスクが3・3倍になります。最高血圧が180ミリ以上のⅢ度高血圧になると、そのリスクは実に8・5倍にもなります。心筋梗塞も同様にリスクが高まり、高血圧の人の発症リスクは正常血圧の人の2倍以上で、同時に肥満であれば8倍になります。

目には極細の毛細血管がたくさんあり、高血圧によって動脈硬化が進むと血流が悪くなります。そのため、緑内障を発症しやすくなります。緑内障は、視野が欠けて狭くなったり、最悪の場合は失明したりする怖い病気です。そのリスクは、正常血圧の人の10・5倍にもなります。

腎臓で老廃物をろ過する働きを担う糸球体という器官は、毛細血管の塊です。高血圧による動脈硬化で毛細血管の血流が悪くなると、腎臓の働きが低下します。腎機能の低下により、体内の塩分の排泄が十分にできなくなったり、血圧を調節する酵素やホルモンの分泌が悪くなったりして、ますます高血圧になる悪循環に陥る危険性もあります。高血圧の人は、腎不全（腎臓の働きが悪くなり、それ以上は回復が見込めない状態）になるリスクが、正常血圧の人の1・9倍です。

（市原淳弘）

Q50 高血圧だけでなく「心肥大」との指摘も。どんな病気ですか?

高血圧による動脈硬化が長く続くと、全身に血液を送り出す心臓は、より強い力で収縮をくり返すようになります。心臓は筋肉の塊ですが、腕の筋肉のように筋力トレーニングで筋細胞を増やせません。それでも強い力を出さなくてはならないため、筋細胞を大きくし、細胞と細胞の間にある線維(せんい)組織を増やします。その結果、心臓(主に左心室)の壁が分厚くなり、心肥大となります。24時間休みなく心臓が無理をしている状態なので、しだいに心筋の細胞が傷んでけいれんを起こすようになり、心房内に血液がよどみ、血栓(血液の塊)ができやすくなります。この状態になると、血栓が脳の血管に飛んでつまることで起こる**脳梗塞**(こうそく)の発症率は5倍となります。

同時に、心臓に酸素や栄養を送る冠動脈や毛細血管にも動脈硬化が起こり、心臓に送るための血液量が不足します。ちょっとした運動でも虚血(きょけつ)(心筋に必要な酸素が行き渡らない状態)に陥りやすくなります。狭心症・心筋梗塞・心不全などの虚血性心疾患(しっかん)から突然死に至ることもあり、そのリスクは2倍といわれています。(市原淳弘)

Q51 合併症を調べる検査はどのようなことを行いますか？

高血圧が続くと血管がダメージを受け、脳や目、心臓、血管、腎臓（じんぞう）に合併症が起こります。頭痛や視力障害、動悸（どうき）、むくみ、たんぱく尿、血尿などの症状に応じて、各種の検査を行います（次ページの表参照）。主な検査には、次のようなものがあります。

①脳・目の検査

画像診断（頭部ＣＴ、ＭＲＩ。機器を用いて頭部の断層画像を見る）、眼底検査（機器を用いて網膜の血管の状態を見る）、問診や簡単なテストで認知機能や抑うつ状態を調べる検査などがあります。

画像診断では、無症候性脳血管障害（76ページ参照）などを発見することができます。眼底検査では網膜の細い血管を直接見ることができますが、ここに障害があれば、脳の血管もダメージを受けている可能性があります。高齢の高血圧患者では、認知機能、抑うつの状態を調べることも重要です。

②心臓・血管の検査

高血圧患者の合併症を調べる検査

	合併症	症状	検査
脳・目	脳卒中（脳梗塞、脳出血、一過性脳虚血発作［TIA］） 大脳白質病変（脳の血のめぐりが悪くなる） 認知機能障害	筋力低下 めまい 頭痛 視力障害 物忘れ	認知機能検査 抑うつ状態評価試験 眼底検査 画像診断（頭部CT、MRI）
心臓	心臓弁膜症 狭心症 心筋梗塞 心房細動 心不全 左室肥大	呼吸困難（動作時、夜間の発作） 体重増加 足のむくみ 動悸 胸痛	心電図 心臓超音波検査（心エコー）
血管	末梢動脈疾患 腹部動脈瘤	間欠性跛行（一度に長く歩けない） 足の冷感	足関節上腕血圧比（ABI） 頸動脈超音波 脈波伝播速度検査（baPWV） 心臓足首血管指数（CAVI）
腎臓	慢性腎臓病 腎硬化症	多尿、夜間頻尿、血尿、たんぱく尿 むくみ、体重増加	血液検査（血清クレアチニン） 尿検査（たんぱく尿、沈渣異常など）

（日本高血圧学会「高血圧治療ガイドライン2019」より）

心電図、超音波検査（心エコー。超音波で心臓の状態を見る）、足関節上腕血圧比（ABI。足首と上腕の血圧比から血管のつまり具合を調べる）、頸動脈超音波（エコーで首の動脈のつまり具合を見る）、脈波伝播速度検査（baPWV。心臓から体の各部への血液の伝達速度を測る）、心臓足首血管指数（CAVI。動脈の硬さやつまり具合を調べる）などがあります。

③腎臓の検査

血液検査（血清クレアチニン）、尿検査（たんぱく尿、沈渣異常など）で腎臓の状態を調べます。

（苅尾七臣）

第6章

治療についての疑問 11

Q52 高血圧の治療では、主にどのようなことが行われますか？

高血圧の治療では、血圧を正常値（目標値）まで下げることで脳心血管病などの合併症の発生を予防したり、進行・再発を防ぐことを目的としています。具体的には、非薬物療法（生活習慣の修正）と薬物療法で血圧をコントロールしていきます。

非薬物療法では、食事（塩分制限など）、運動、十分な睡眠のほか、アルコール制限、禁煙などを行って生活習慣を修正し、高血圧を改善していきます。薬物療法では、高血圧のタイプ（早朝・昼間・夜間高血圧など）、年齢、合併症などに合わせて降圧薬や利尿薬を服用することで血圧のコントロールをめざします。

治療を効果的に進めるためには、最初の診療で正確に血圧を把握することが大切です。診察室血圧だけでなく家庭血圧も測定して、高血圧のレベルを見定めます。血圧の測定値に加え、ほかの

降圧目標

	診察室血圧	家庭血圧
75歳未満	130ミリ／80ミリ未満	125ミリ／75ミリ未満
75歳以上	140ミリ／90ミリ未満	135ミリ／85ミリ未満

（日本高血圧学会「高血圧治療ガイドライン2019」より）

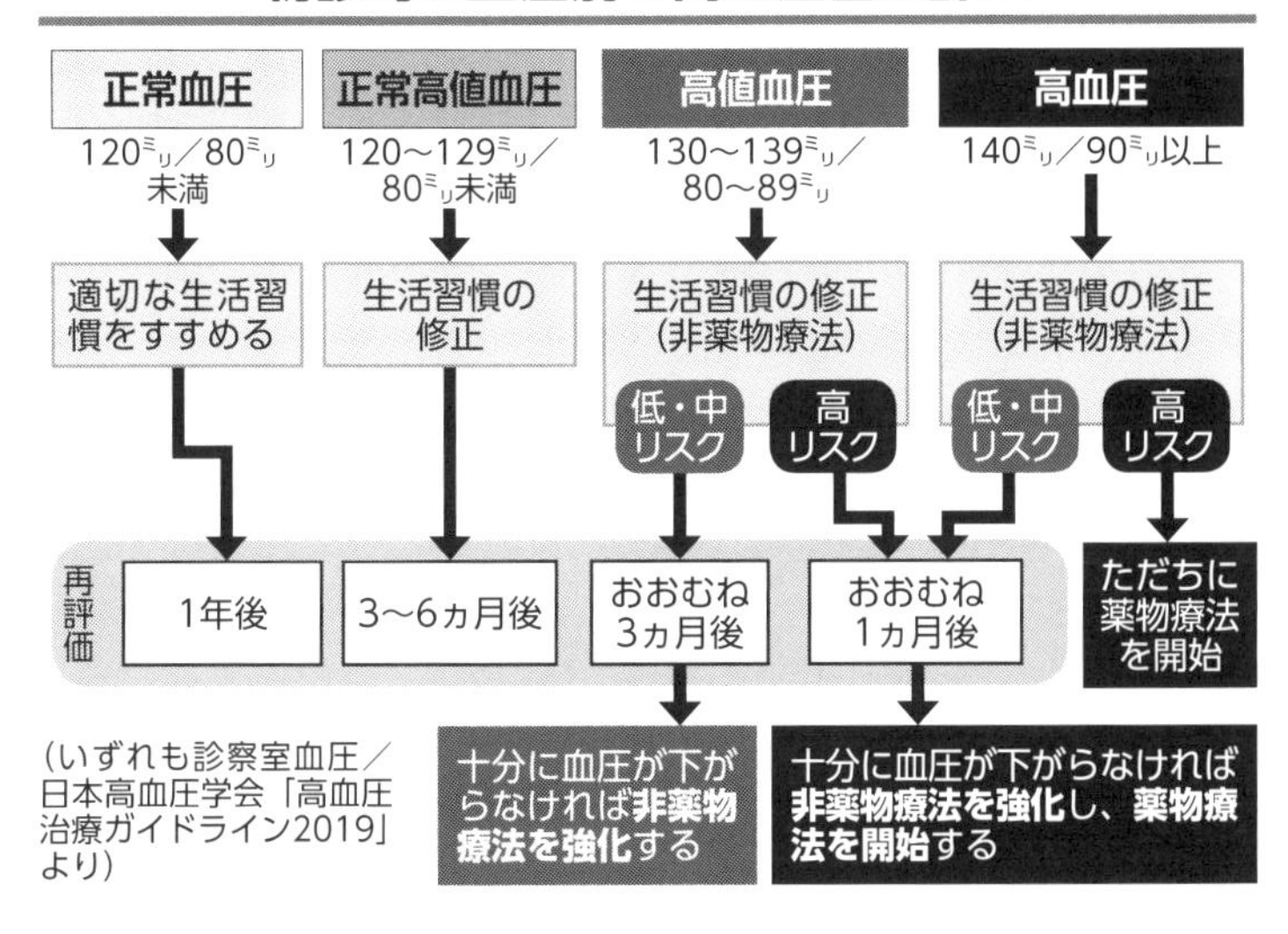

病気が原因で高血圧になっていないか（ほかの病気が原因の二次性高血圧であればその病気の治療を優先）を調べ、高血圧以外の危険因子（年齢、性別、コレステロール値、中性脂肪値、腎機能、喫煙習慣や飲酒量、肥満、それまでにかかった病気など）も考慮して、高血圧の管理計画を立てます。

明らかな高血圧で高血圧以外の危険因子があれば最初から降圧薬を用いますが、それ以外は、まずは管理計画に基づき食事や運動などの非薬物療法を指導します。その後、１〜数ヵ月後に再診して、高血圧が改善されているかどうかを再評価します。血圧が十分に下がっていなければ、管理計画を見直して非薬物療法を強化したり、薬物療法を検討したりします。

（苅尾七臣）

Q 53
120ミリ／80ミリ超の「正常高値血圧」の場合、血圧をどう管理しますか？

診察室血圧が120ミリ／80ミリを超える正常高値血圧は、「高血圧ではないものの、要注意」という黄信号が点灯した段階で、いわば高血圧予備群です。だからといって、放置していい状況ではありません。血圧が120ミリ／80ミリを超えると、脳心血管病や慢性腎臓（じんぞう）病などにかかるリスクが高まることがわかっています。正常高値血圧のうちに生活習慣を修正し、血圧を正常範囲内に管理できれば、これらのリスクが小さくなり、将来、高血圧で薬物療法が必要になることもさけられます。

日本では健康診断が広く行われ、家庭用血圧計が普及しており、血圧は簡単に調べられます。たとえ高血圧になっても保険で診療を受けることができ、いい降圧薬もたくさん開発されています。にもかかわらず、自分が高血圧と知りながら放置する人が多いのです。このような矛盾した事態を「高血圧パラドックス」*といい、高血圧治療上の問題となっていますが、もったいないことだと思います。正常高値血圧という警告を無視せず、早いうちに生活習慣の改善に努めましょう。

（苅尾七臣）

＊「高血圧の人は全員治療を受けていてもいいはずなのに、現実はそうなっていない」といった意味。

Q54 130ミリ/80ミリ超の「高値血圧」の場合、治療は必要になりませんか？

高値血圧は、正常高値血圧から一段階進んだ高血圧予備群です。すぐに薬物療法にはなりませんが、食事や運動などの生活習慣の見直しによる血圧治療が必要です。

生活習慣修正を始めた後の血圧管理計画は、高血圧以外の、脳心血管病リスクの有無によって変わってきます。脳心血管病リスクを高める危険因子には、年齢（65歳以上）、性別（男性）、喫煙習慣、糖尿病、脂質異常症、脳心血管病になったことがあるかどうか、慢性腎臓（じんぞう）病、肥満などがあります（64ページ参照）。これらがどれくらいあるかでリスクの高低が決まり、低・中リスクの人は初診からおおむね3ヵ月後、高リスクの人は1ヵ月後くらいにもう一度受診し、血圧の改善状況を見ます。

低・中リスクの人が生活習慣を修正しても血圧が十分下がらない場合は、さらに塩分を制限するなど、生活習慣の修正を強化します。高リスクの人が生活習慣を修正しても血圧が十分に下がらない場合は、生活習慣の修正の強化に加え、薬物療法による治療を始めることになります。

（苅尾七臣）

Q55

140ミリ／90ミリ超の「高血圧」では、どのように治療が始まりますか？

診察室血圧が140ミリ／90ミリ超の高血圧の場合、脳心血管病リスクを高める危険因子（年齢、性別、喫煙習慣、糖尿病、脂質異常症、脳心血管病になったことがあるかどうか、慢性腎臓病、肥満など）の有無によって、治療方針が変わります（64ページ参照）。

このような危険因子がなければ低リスク、「65歳以上」「男性」「脂質異常症」「喫煙」のうちのいずれか1つが当てはまれば中リスクとして、まずは生活習慣の修正を始め、およそ1ヵ月後にもう一度受診して効果を見ます。血圧が十分に下がっていればそのままの生活習慣を維持していきますが、効果がなければ、生活習慣の修正を強化したうえで、薬物療法による治療を始めることになります。

高血圧で、なおかつ「65歳以上」「男性」「脂質異常症」「喫煙」のうち3つ以上に当てはまる人、または、これまでに脳心血管病になったことがある人、非弁膜症性心房細動（不整脈）がある人、糖尿病や慢性腎臓病（たんぱく尿が出ているもの）の人は高リスク群として、最初から生活習慣の修正と並行して薬物療法を始めます。（苅尾七臣）

Q56 高血圧と診断されたらすぐ薬を飲むことになりますか？

異常に血圧が高い場合や脳心血管病リスクが大きい人の場合は、高血圧の診断と同時に薬物療法が始まることもありますが（97ページ参照）、多くは生活習慣の修正を行い、それでも効果が認められない場合に、降圧薬を飲むという順序です。高血圧治療の目標は単に血圧を下げることではなく、高血圧を招くような生活を正し、脳心血管病などの、命にかかわる病気を防ぐことだからです。

生活習慣修正の柱となるのは、まず減塩です。塩分は血圧を上昇させる大きな原因です。日本人は１日平均10グラム以上の食塩をとっているといわれますが、これを１日６グラムに抑えます。２分の１近くまで減らすとなると、なかなか厳しいと感じるかもしれません。しかし、例えば最初は８グラムから始め、段階を踏んで慣らしていけば、十分実現可能です。同時に、運動の習慣をつけ、高血圧の原因となるストレスを解消するとともに、肥満の解消や予防に努めましょう。**生活習慣の修正だけで血圧をコントロールできれば、薬物療法は不要です。**

（桑島　巌）

Q57 血圧を少しくらい下げても大きな差はないのではないですか？

血圧は、少し動いただけで上下します。朝と夜では測定値も異なります。だからといって、「血圧を2〜3ミリ下げたからといって、大勢に影響はないのではないか」などと思ったら、大間違いです。

最高血圧の平均値が2ミリ下がると、心筋梗塞の死亡率が7％下がるという研究があります。同様に、たった2ミリの変化で、脳卒中の死亡率は、10％も下がるのです。これは最高血圧の平均値を見ており、刻々と変化する血圧の上下ではありません。高血圧の治療では、全体をどれくらい下げるかが大切なのです。

死亡のリスクも怖いですが、心筋梗塞や脳卒中などの脳心血管病の発作が起これば、たとえ命が助かったとしても、マヒやしびれが残ったり、脳にダメージを負うことで高次脳機能障害（記憶障害や認知障害が起こる）になったり、不整脈や動悸、息切れといった後遺症が残ることもあります。少しでも血圧を下げるよう努めましょう。

（市原淳弘）

Q58 高血圧を長年放置してきた私は、もう手遅れではないですか？

　高血圧だとわかっていながら長年放置した場合、高血圧が判明したときよりさらに血圧が上がって、動脈硬化が進み、深刻な病気のリスクも高まっているかもしれません。しかし、どの時点でも「手遅れ」ではありません。降圧治療を始めるべきです。

　わかっていてもなかなか降圧に取り組まない理由はなんでしょうか。血圧を下げるために「塩分を減らしましょう」「運動をしましょう」といわれても、それまで自分が続けてきた生活習慣を変えるのはなかなか大変なことです。また、決まった時間に薬を飲むのも、制約が増えるわけですから、おもしろくないと思うかもしれません。

　ただ、血圧は、ちょっとしたことで下がります。いつも使っているしょうゆさしを1滴ずつ出せるタイプに替えてみるだけで、食塩の摂取量を大幅に減らせます。歩数計で毎日の歩数を調べるだけで、もう少し歩いてみようという気持ちになることもあります。きちんと医師の診察を受け、できるところから生活習慣の修正をすることに「手遅れ」はありません。今日から早速始めましょう。

（市原淳弘）

Q59 高血圧の人の降圧目標について教えてください。

降圧目標とは、数多くの調査・研究を通じて、この数値まで血圧を下げることによって脳心血管病（脳卒中・心筋梗塞（こうそく）など）になったり、その病気が原因で死亡したりする危険性を小さくできるということが明らかになった結果、定められた数値です。

日本高血圧学会の「高血圧治療ガイドライン」の最新版（2019年）では、降圧目標は、75歳未満の成人で家庭血圧125ミリ／75ミリ未満、75歳以上の高齢者でも、75歳未満の人と大差ない降圧目標が定められています。かつては加齢によって血管が老化して柔軟性を失うのだから、血圧が上昇するのは自然の摂理で、むしろ血圧が高いほうが血流がよくなっていいなどという考えもありました。しかし、数々の調査・研究の積み重ねによって、高齢者であっても血圧は低いほうが病気の予防に効果があると確かめられたために、このような降圧目標が掲げられているのです。

ただし、高齢者の場合は、薬で血圧が下がりすぎる場合があること、ほかの病気で服用している薬の影響なども考える必要があり、経過を注意深く観察しながら目標を達成していく必要があります。

（市原淳弘）

年齢や病態別の降圧目標

家庭血圧

75歳未満

最高血圧 125ミリ
最低血圧 75ミリ
未満

脳動脈に狭窄・閉塞のある脳血管障害、尿たんぱくが陰性の慢性腎臓病の場合

最高血圧 135ミリ
最低血圧 85ミリ
未満

75歳以上

最高血圧 135ミリ
最低血圧 85ミリ
未満

脳動脈に狭窄・閉塞のない脳血管障害、冠動脈疾患、尿たんぱくが陽性の慢性腎臓病、糖尿病、抗血栓薬を服用中の場合*

最高血圧 125ミリ
最低血圧 75ミリ
未満

診察室血圧

75歳未満

最高血圧 130ミリ
最低血圧 80ミリ
未満

脳動脈に狭窄・閉塞のある脳血管障害、尿たんぱくが陰性の慢性腎臓病の場合

最高血圧 140ミリ
最低血圧 90ミリ
未満

75歳以上

最高血圧 140ミリ
最低血圧 90ミリ
未満

脳動脈に狭窄・閉塞のない脳血管障害、冠動脈疾患、尿たんぱくが陽性の慢性腎臓病、糖尿病、抗血栓薬を服用中の場合*

最高血圧 130ミリ
最低血圧 80ミリ
未満

＊ただし、降圧薬の副作用に対して患者が耐えられると判断された場合。
（日本高血圧学会「高血圧治療ガイドライン2019」より作成）

Q60 主治医を信頼できません。どんな医師に診てもらうべきですか？

残念ながら、高血圧はありふれた病気です。しかし高血圧は、脳や心臓、腎臓（じんぞう）、ホルモンなどさまざまな領域に関係するため、専門知識と同時にさまざまな分野の医療知識が必要な病気です。さらに、ほかの病気と同様、さまざまな研究の積み重ねによって新しい治療方法が開発され、治療の基準や考え方も日夜進歩しています。

生活習慣を修正し、降圧薬を服用しつづけているにもかかわらず、なかなか効果が現れないといった場合で、高血圧に関する専門的・最新の知識を持つ医師の診療を求めるなら、**日本高血圧学会が認定した高血圧専門医**を受診しましょう。

高血圧専門医は、専門的かつ幅広い研修を受け、一般医では治療が難しいタイプの高血圧の診断・治療、患者本人も気づいていない高血圧の原因究明、高血圧の予防・改善のための的確な指導ができる技能を持つ医師です。

高血圧専門医がいる病院や診療所の数はまだまだ少ないですが、**日本高血圧学会のサイト（https://www.jpnsh.jp）**で探すことができます。

（桑島　巖）

Q61 治療を続けても高血圧が下がりません。なぜですか？

生活習慣を修正し、利尿薬を含む3種類以上の薬を服用しても、血圧が目標値まで下がらない場合、「治療抵抗性高血圧」と診断されます。ただし、さまざまな理由で、見かけ上の治療抵抗性高血圧になっている場合もあります。

例えば、病院で測るときだけ血圧が上がる白衣高血圧の場合、家庭血圧を測ってみると降圧薬の効果が出て血圧が下がっているのに、病院で測ると血圧が上がり、効果が出ていないように見える場合があります。24時間自由行動下血圧測定（ＡＢＰＭ）で高血圧の人のグループを調査したところ、約12％が治療抵抗性高血圧で、そのうち3分の1強は白衣高血圧だったという調査・研究報告もあります。

また、血圧が正しく測定できていない可能性もあります。カフが小さかったり、巻く位置が心臓より低かったりすると、実際より高く測定されることがあります。

治療抵抗性高血圧かどうかは医師が診断すべきですが、自分で思い当たる点がないか、次ページの表でチェックしてみてください。

（市原淳弘）

治療抵抗性高血圧を疑ったときのチェックリスト

血圧測定	□カフが小さすぎないか □家庭血圧計の精度はいいか □家庭血圧の測り方は正しいか（カフを巻く位置が心臓より低い、安静を保たずに測定している、カフェインや喫煙の影響など） □病院でだけ血圧が上がる白衣高血圧ではないか
服薬	□処方された薬が残っていないか（飲み忘れはないか） □自分で薬を調整していないか（特定の薬を飲まない、量や回数を減らしているなど） □認知機能に問題はないか
薬の処方	□３種類以上の薬が処方されているか □利尿薬は処方されているか □薬の効きめの持続性は十分か
生活習慣	□食塩をとりすぎていないか（無意識に使っている調味料、塩分が多いことに気づきにくい加工品など） □肥満の影響はないか □節酒できているか □精神的・肉体的なストレスはないか □眠れないなど、睡眠に問題はないか
ほかの薬や食品	□鎮痛・消炎薬（内服薬、塗り薬）、漢方薬、抗うつ薬、経口避妊薬など □サプリメント、健康茶などの嗜好品
二次性高血圧の疑い	□睡眠時無呼吸症候群など

（日本高血圧学会「高血圧治療ガイドライン2019」より）

Q62 高血圧がなかなか下がらない場合、どのように治療しますか？

治療抵抗性高血圧（107ページ参照）と診断された場合、まずは生活習慣の管理を徹底します。108ページのチェックリストにあるような要因について調べ、修正できるものは修正していくことで、降圧目標が達成できることもあります。

特に、塩分をとりすぎている人や腎（じん）機能が低下している人は、体液貯留型（62ページ参照）の高血圧になっている場合が多いので、塩分を厳しく制限し、まだ利尿薬を服用していない場合は利尿薬を処方して、体内の塩と水の量を減らします。

同時に、働きの異なる降圧薬を追加したり、あるいは薬の量や服用回数を増やしたり、飲むタイミングを変えたりして、薬の調整をします。薬の服用に不安を感じているときちんと服用できないこともあるので、薬の効果や副作用については十分な説明を受けましょう。

それでも効果が現れない場合は、高血圧専門医へ紹介されることになります。高血圧専門医が診療してもなかなか血圧が下がらない難治性の高血圧もありますが、多くの場合、生活習慣や合併症など複数の要因が重なることで、体内の塩分量を減らすのが困難だったり、動脈硬化がかなり進んでいたりすることが原因です。

このほか、最近注目されている難治性高血圧の治療法として、「腎交感神経デナベーション」という方法があります。これまでの高血圧治療は生活習慣の修正と薬物治療が中心でしたが、腎交感神経デナベーションは手術で高血圧を治療するものです。

具体的には、足のつけ根から腎臓の血管までカテーテル（細い管）を入れ、血管の周囲にある交感神経（心身を興奮させる働きのある神経）を焼き切る手術です。

腎臓から分泌（ぶんぴつ）されるレニンという酵素には血圧を上げる働きがありますが、この手術で腎交感神経を焼き切ると、レニンの過剰な分泌を抑えて、血圧を下げることができます。

この手術については、現在、日本でも臨床試験が行われています。最新の研究では、高血圧の人すべてに効果があるわけではなく、効果が出やすい人と出にくい人がいることがわかってきました。どんな人に効果があり、どんな人には効果がないのか、また、降圧効果が長続きするかどうか、安全性に問題はないかなどを確かめることが今後の課題ですが、薬物を使わない高血圧の治療法として期待されています。

（市原淳弘）

第7章

降圧薬についての疑問 17

Q63 降圧薬は一生飲みつづけないといけないというのは本当ですか？

決してそんなことはありません。次のような場合は、薬の量を減らしたり、中止したりすることは十分可能です。

①医師の指示のもとにきちんと薬を飲み、生活習慣が改善されて、長期にわたって血圧が低めにコントロールされた状態が続いている場合。

②季節による変動、例えば、冬は比較的血圧が高いが、夏は下がっているなどの場合、夏場に降圧薬を減らしたり中止したりすることは可能。

ただし、自己判断で薬を減量・中止してはいけません。思わぬ症状が出る危険性もあるので、必ず医師の指示に従ってください。減量・中止は、家庭血圧を含め血圧の推移を慎重に観察しながら行います。なお、重度の高血圧や心臓・腎臓(じんぞう)に合併症がある人は、生涯にわたって降圧薬を飲まなければならない場合が多いといえます。減量・中止で血圧の上昇や合併症の悪化を招き、命にかかわることもあるからです。

（今井　潤）

Q64 降圧薬の治療はどのように進められますか？

降圧薬は、最初は少量から服用を始め、服用開始から約1ヵ月間は、家庭血圧を測りながら慎重にようすを見ます。降圧薬の服用を始めると、家庭血圧の測定記録は一層重要になります。薬の効果がどれくらい現れているかを見るためです。また、個人差もありますが、特に高齢者は薬で血圧が下がりすぎることがあり、ふらつき、転倒など事故の危険性もあるので、家庭血圧を測定して、注意深く経過を観察することが大切です。

副作用などの異常がなければ、服用を2〜3ヵ月続けた後、医師が診察して効果を判定します。処方された降圧薬に効果が認められればそのまま服用を続けますが、不十分であれば、量や回数を増やしたり、薬の種類を変えたりします。再び2〜3ヵ月後に効果を見て、結果によって薬の量などを調整します。

このように、経過を見ながら降圧薬の量や回数、種類、組み合わせを変えていくと、約9割以上の人には効きめが現れてきます。利尿薬を含む降圧薬を3種類以上服用しても効果がない場合は、治療抵抗性高血圧（26ページ参照）と診断されます。（苅尾七臣）

Q65 降圧薬にはどんな種類がありますか？

主な降圧薬は、作用のしくみによって大きく2つに分けられます。

①血管を拡張する薬

血圧を上昇させる物質（アンジオテンシン）やホルモン（レニン）を抑えて、血管を広げることで血圧を下げる薬と、末梢(まっしょう)血管の収縮を防ぐα(アルファ)遮断(しゃだん)薬があります。前者には、体内でレニンとアンジオテンシンが働くしくみ（レニン・アンジオテンシン系。116ページ参照）を抑えるRA系の薬と、血液中のカルシウムイオンの働きを抑える薬があります。

②血流量を減らす薬

血管を流れる血液の量を減らし、血圧を下げる薬です。過剰な心臓の働きを抑えて心臓から送り出される血液の量を減らすβ(ベータ)遮断薬と、尿の量を増やして血流量を減らす利尿薬があります。

（苅尾七臣）

主な降圧薬の種類

血管を拡張する	RA系（レニン・アンジオテンシン系に作用する）	レニン阻害薬
		ACE阻害薬
		ARB
	カルシウムイオンの働きを抑える	カルシウム拮抗薬
	末梢血管の収縮を防ぐ	α遮断薬
血流量を減らす	過剰な心臓の働きを抑える	β遮断薬
	尿量を増やす	利尿薬

血管硬化型　体液貯留型

早朝　昼間　夜間

Q66 「カルシウム拮抗薬」という降圧薬はどんな人に効果的ですか？

カルシウム拮抗薬は早朝・昼間・夜間高血圧のいずれにも効き、効果に個人差が少ないことから、高血圧の薬物療法で第一に選択されることが多い薬です。血管が硬い高齢者にもよく効き、副作用も少ないため、現在、高血圧の薬物療法で用いられる中心的な薬となっています。体内にあるカルシウムイオンは、血管壁の細胞内に入ると血管を収縮させ、血圧を上昇させる作用がありますが、カルシウム拮抗薬は、カルシウムイオンの血管壁への流入を抑え、血管の収縮を防いで血圧上昇を抑えます。血管に作用するので、高血圧発症のしくみ別に見ると、体液貯留型よりは血管硬化型に向いています（62ページ参照）。副作用としてめまい、頭痛、眠け、むくみやほてり、便秘などが現れることもありますが、ほとんどは一時的で、短期間で治まります。

注意点として、グレープフルーツやハッサク、ザボンなどに含まれる成分（フラノクマリン）はカルシウム拮抗薬の働きを阻害するので、それらの果実やジュースはさけるようにしましょう。

（苅尾七臣）

血管硬化型

早朝 昼間 夜間

Q67 「レニン阻害薬」「ACE阻害薬」「ARB」はどんな薬ですか？

レニン・アンジオテンシン系（図参照）の各段階に作用して高血圧を防ぐもので、心臓病・糖尿病・腎臓（じんぞう）病などの合併症のある人に用いられることが多い薬です。

①レニン阻害薬……腎臓から分泌（ぶんぴつ）されるレニンというホルモンの働きを抑えます。

②ACE阻害薬……ACE（アンジオテンシン変換酵素）の働きを抑えます。副作用は少ないですが、服用者の2～3割に空ゼキ（タンの出ない乾いたセキ）が見られることがあります。

③ARB……アンジオテンシンⅡが細胞に取り込まれるのを防ぎ、血管の収縮を防ぎます。（苅尾七臣）

レニン・アンジオテンシン系

腎臓
↓ 分泌
レニン（ホルモン） ← レニン阻害薬はここに作用
血液中のアンジオテンシノーゲンという物質を分解
↓
アンジオテンシンⅠができる ← ACE阻害薬はここに作用
↓
ACEという酵素が作用
↓
アンジオテンシンⅠがアンジオテンシンⅡに変わる
↓ ← ARBはここに作用
血管が収縮し血圧が上昇

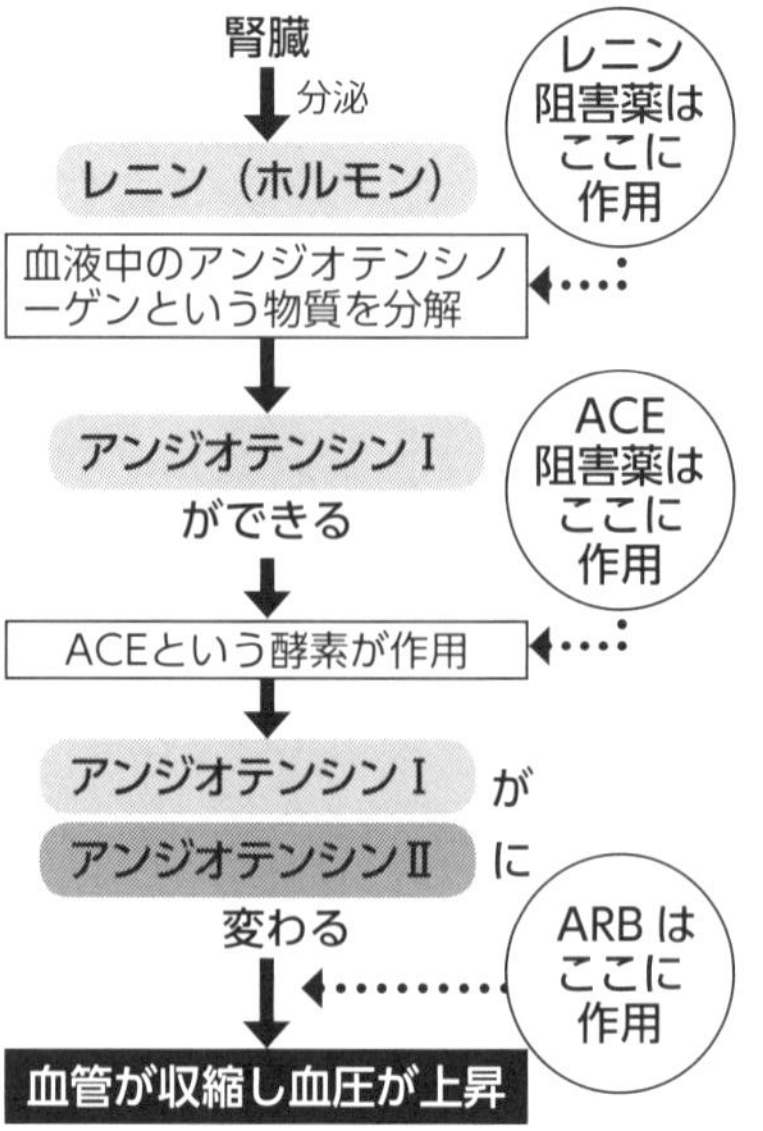

体液貯留型
夜間

Q68 「利尿薬」の効き目について教えてください。

利尿薬は、尿の排泄（はいせつ）を促す薬です。尿を排泄することで体内の水分量を減らせば、水分を含む血液の量が減り、血圧を下げる効果が得られます。血液量が減ることで、心臓の負担を軽くする効果も期待できます。夜間高血圧の起こりやすい、体液貯留型（62ﾍﾟｰｼﾞ参照）タイプの人に向いている薬です。尿とともに塩分（ナトリウム）も排泄されるので、高齢者や慢性腎臓（じんぞう）病、糖尿病の人など、塩分をとると高血圧になりやすいタイプにも向いています。ＡＣＥ阻害薬やＡＲＢと併用したり、あらかじめＡＲＢとともに配合されている配合薬を用いる場合もあります。

利尿薬を服用すると尿量が増えて脱水を起こしやすくなるので、医師に注意点を聞いたうえで、適切な水分補給に努めましょう。また、尿とともに電解質（カリウム、ナトリウム、マグネシウムなど）が排出されることで、脱力感、吐きけ、嘔吐（おうと）、こむら返りなどの症状が現れる、電解質異常を起こすことがあります。このような症状が現れたら、すぐに主治医に相談しましょう。なお、利尿薬では尿酸は排泄されず、尿酸値を上げてしまうため、痛風のある人には使えません。

（苅尾七臣）

Q69 「β遮断薬」はどんな薬でどんな人に効きますか？

ストレスなどで交感神経（心身を興奮させる神経）が働くとノルアドレナリンという神経伝達物質が分泌（ぶんぴつ）され、集中力や判断力が高まる反面、心臓の働きを活発にするため、血圧と心拍数が上がります。β遮断薬（ベータしゃだんやく）は、ノルアドレナリンが心臓にあるβ受容体に取り込まれるのを防ぎ、心臓の働きすぎを抑えて心拍数を減らし、血圧を下げる働きがあります。交感神経を鎮めて興奮を落ち着かせるため、職場や家庭などで強いストレスにさらされることが原因で起こる、昼間高血圧に効果が期待できます。

一方で、心拍数が減ることから、徐脈（脈が少なくなる不整脈の状態）となることがあり、もともと不整脈のある人は使用できません。また、気管支を収縮させる場合もあるので、気管支ぜんそくの人にも向いていません。

また、β遮断薬により交感神経の働きが弱まると、血液中のブドウ糖濃度が下がる低血糖になることがあり、薬の作用で低血糖症状（ふるえや動悸（どうき）など）が表に現れないまま、いきなり昏睡（こんすい）に陥る可能性もあります。そのため、高齢者や糖尿病の人は服用に注意が必要です。

（苅尾七臣）

血管硬化型
早朝　昼間

Q70 「α遮断薬」はどんな薬でどんな人に有効ですか？

ノルアドレナリンという神経伝達物質が血管にあるα受容体に取り込まれると、末梢血管が収縮して、血圧が上がります。α遮断薬は、ノルアドレナリンがα受容体に取り込まれるのを防ぎ、血管を広げて末梢血管の収縮を防ぎ、血液の流れをスムーズにして血圧を下げる薬です。

血管に作用するので、血管硬化型の人で、早朝・昼間に血圧が上がりやすい人に向いています。早朝高血圧の場合は、眠る前に飲めば起床時の血圧サージを防ぐことができます。

副作用は少ないですが、初めて服用するさい、立ちくらみ、めまい、動悸などが起こることがあります。そのため、最初は少量からようすを見ながら服用を始めます。

このほか、α受容体は血管以外の前立腺や尿道にもあるため、まれに頻尿や尿失禁などの泌尿器の症状が出ることもあります。α遮断薬のこの働きを利用して、前立腺肥大や排尿障害の治療に用いられることもあります。

（苅尾七臣）

Q 71

高齢で狭心症があるのですが、どんな薬が適していますか？

狭心症や心筋梗塞（こうそく）などを合併している高血圧に適した降圧薬は、カルシウム拮抗薬（きっこうやく）です。もともと狭心症の治療のために開発された薬で、現在、日本では最も多く使用されている降圧薬です。また、ＡＲＢやＡＣＥ阻害薬も適した薬です。

カルシウムイオンは血管壁の筋肉に作用して血管を収縮させ、血圧を上昇させます。これを妨げ、血管を広げて血流をよくすることで血圧を下げるのがカルシウム拮抗薬です。動脈硬化が進んだ高齢者によく効きます。ただし、グレープフルーツやハッサク、ザボン、ダイダイなどに含まれる成分が、カルシウム拮抗薬の効き目を増強するので、注意が必要です。

カルシウム拮抗薬の中でもベンゾチアゼピン系というタイプの薬には、心臓に作用して心拍数を抑える働きもあります。ところが、β遮断薬（ベータしゃだんやく）（１１８・１２２ジペー参照）という降圧薬といっしょに服用すると心臓の働きが抑えられすぎて心不全や心ブロック（高度な脈拍の低下）を起こすこともあるので、併用には慎重を要します。（今井　潤）

Q72 血圧だけでなく血糖値も高いので合併症が心配です。どの降圧薬が合いますか？

血糖値も血圧も高いという人は少なくありませんが、糖尿病と高血圧が合併すると、脳心血管病を発症するリスクが健康な人の6～7倍になるといわれています。高血圧と高血糖、両方の治療を進めなければいけません。

高血糖で高血圧の人には、ARBという降圧薬が適しています（116ページ参照）。腎臓（じんぞう）から分泌（ぶんぴつ）されるレニン（ホルモンの一種）が関係して生じるアンジオテンシンⅡという物質が、血管を収縮させて血圧を上昇させる作用を阻害し、血圧を下げます。

一方、ARBには、インスリンの効きめを促進したり、脳や心臓、腎臓の血管を保護する働きもあります。そのため、血糖値の高い人をはじめ、心肥大や心不全のある人、腎機能が低下しはじめた人にも有効な薬です。

ただし、糖尿病性腎症（糖尿病に合併する腎臓病）の場合は、血液中のカリウムが増え不整脈などを起こす高カリウム血症を招く恐れがあり、服用には注意が必要です。

（今井　潤）

Q73 私はストレス性の高血圧だと思います。どの降圧薬が適していますか？

強いストレスが原因の高血圧には、自律神経（意志とは関係なく血管や内臓の働きを支配する神経）に作用するα遮断薬やβ遮断薬が処方されます（118ページ・119ページ参照）。

血圧は自律神経によって支配されています。強いストレスにさらされると自律神経のうちの交感神経（心身を興奮させる働きのある神経）が優位に働き、ノルアドレナリンという神経伝達物質が分泌され、血管にあるα受容体、心臓にあるβ受容体と結合します。その結果、末梢血管が収縮し、同時に心臓の収縮力と心拍数も上昇するため、血圧が上昇するのです。

α遮断薬、β遮断薬は、それぞれα受容体、β受容体に結合することでノルアドレナリンの作用をブロックし、交感神経を鎮めて血圧を下げる働きをします。

心臓のβ受容体に作用するβ遮断薬は、もともと心不全のある人が服用すると心臓の働きが抑えられすぎることがあるので、注意が必要です。

（今井　潤）

Q74 日本人の降圧には利尿薬が適していると聞きました。くわしく教えてください。

高血圧には血管が狭くなって高血圧になる血管硬化型と、体内に余分な体液がたまって高血圧になる体液貯留型があります。欧米人には血管硬化型が多いといわれますが、**日本人に多いのは体液貯留型**です（62ページ参照）。

体液貯留型の高血圧の大きな原因は、塩分のとりすぎです。塩分をとりすぎると、濃度調節のために体は水分をため込み、血管内の血液量も増えて血圧が上がります。それに加えて、増えた血液を押し出そうと心臓がポンプ機能を高めるため、さらに血圧が上がってしまうのです。

高齢になると腎臓（じんぞう）の働きが低下して塩分の排泄（はいせつ）機能が衰えます。そのため、若いころは血管硬化型でも徐々に体液貯留型に移行する人も多く、**高齢者の約7割は体液貯留型です。**

体内の水分量を減らせば血液の量が減り、血圧が下がるので、日本人に多い体液貯留型の高血圧には、利尿薬が適しているといえます。

（桑島　巌）

Q75 血圧は薬でどこまで下げれば安心ですか？

血圧をどこまで下げればいいかは、年齢や合併症によって異なります。日本高血圧学会の「高血圧治療ガイドライン2019」でも、年齢、合併症の有無とその種類によって、細かく降圧目標を定めています（21・105ページ参照）。特に合併症がない75歳未満の前期高齢者を含む成人の降圧目標は、診察室血圧で130ミリ／80ミリ未満ですが、至適血圧（ほかの病気を起こさない理想的な血圧値）は120ミリ／80ミリ未満です。ここまで下げることができればまず安心といえるでしょう。

75歳以上の後期高齢者は薬が効きすぎることがあり、特に慎重な経過観察が必要です。当初は診察室血圧で140ミリ／90ミリ未満を目標とし、ゆっくりと血圧を下げていくことになります。高齢者では薬物療法の間に起立性低血圧や食後低血圧といった、失神や転倒にいたる危険な低血圧が生じることがあります。

脳血管障害がある人の場合も、血圧を下げすぎると脳虚血状態を引き起こすことがあるため、降圧目標はやや高めの140ミリ／90ミリ未満となっています。

（今井　潤）

Q76 降圧薬をつい飲み忘れがちなのですが、防ぐ方法はないですか？

最近は1日1回服用の薬が増えてきましたが、複数回飲む場合、飲み忘れが多いのは、ほかの用事に気を取られやすい昼と夜です。飲み忘れを防ぐ工夫としては、次のような方法があります。

①**血圧測定時に服用する**……服薬ずみの印をつけられる血圧手帳もあります。

②**スマートフォンなどのタイマーを使う**……薬の飲み忘れを知らせてくれるスマートフォンのアプリもあります。

③**カレンダーに印をつける**……目につくところに貼ったカレンダーや、いつも使っている手帳に、薬を飲んだら印をつけて、飲み忘れを防ぎます。

④**小分けにできる容器を使う**……朝・昼・夜の分を分けて1週間分入れられる携帯容器や、1ヵ月分を日ごとに分けて入れられるウォールポケットもあります。

⑤**カバンに予備を入れておく**……薬を持たずに外出してしまったときのために、カバンに予備を入れておくといいでしょう。

（苅尾七臣）

Q77 降圧薬を飲み忘れたら、次のときに2倍の量を飲めばいいですか？

降圧薬を飲み忘れたときに最もやってはいけないことは、2回分を一度に飲むことです。血圧が下がりすぎてふらつき、転倒してケガをしたり、脳の血管に悪影響を与えたりする恐れがあるからです。継続的に飲む降圧薬は、1回飲み忘れても、血液中に、ある程度の薬の成分が残っており、急激に血圧が上がるようなことはまずありません。

飲み忘れた場合は下の表のように対処しますが、薬の種類によっては、また、複数の薬を飲んでいる場合などは、対応が異なることがあります。そのため、飲み忘れたら主治医や薬剤師に相談するのが原則で、できれば事前に対処法を確認しておきましょう。

（苅尾七臣）

飲み忘れたときの対処法

回数	飲み忘れ分	対処法
1日1回	朝食後	寝るまでに気づいたら服薬
1日2回	朝食後	朝から夕方までに服薬。夕食後の分は寝る前に服薬
	夕食後	寝るまでに気づいたら服薬
1日3回	朝食後	昼までに気づいたら服薬。昼食後の分は夕食後、夕食後の分は寝る前に服薬。
	昼食後	夕食までに気づいたら服薬。夕食後の分は寝る前に服薬。
	夕食後	寝るまでに気づいたら服薬

Q78 降圧薬を飲みだしてから副作用がつらいです。続けて大丈夫でしょうか？

主な降圧薬の副作用

薬の種類	主な副作用
カルシウム拮抗薬	顔のほてり、頭痛、動悸、頻脈（脈が速くなる）、徐脈（脈が遅くなる）、足のむくみ、歯ぐきのはれ、便秘
ARB	めまい、動悸
ACE阻害薬	空セキ、発疹、かゆみ、味覚障害
レニン阻害薬	頭痛、めまい、吐きけ、下痢
α遮断薬	立ちくらみ、めまい、動悸
β遮断薬	徐脈、むくみ、気管支ぜんそくの悪化、脂質異常（血液中の脂質が増加）、高血糖、不眠
利尿薬	低カリウム血症（血液中のカリウム減少、悪化すると筋力低下、手足のマヒ）、痛風、インポテンツ、脂質異常、高血糖

降圧薬は長期間服用することを前提に作られているため、強い副作用のないものが多いのですが、いくらか副作用が現れることはあります。代表的な症状としてはめまいや動悸（どうき）、脈の異常（頻脈や徐脈）、むくみなどですが、発疹（ほっしん）などの皮膚症状や味覚障害が現れることもあります。副作用がつらいときは、薬を処方した医師に相談しましょう。降圧薬にはさまざまな種類があり、量や組み合わせを変えることもできます。副作用が現れたからと、自己判断による減薬や中止は行わないようにしてください。

（今井　潤）

Q79 降圧薬と相性の悪い食べ物や薬があれば教えてください。

カルシウム拮抗(きっこう)薬とグレープフルーツのように、薬の濃度を上げてしまう食品との組み合わせや、場合によっては、薬の作用を弱めてしまう食品など、さまざまあります。

また、2つの薬の間の相互作用で、薬の作用が強くなったり、弱くなったり、時には副作用が強く出たりします。

降圧薬を含め、いくつかの薬を併せて服用している人は、必ずお薬手帳を持参して医師や薬剤師に提示し、不明点があればたずねましょう。

（今井　潤）

降圧薬と相性の悪い食べ物、薬

降圧薬	食品・ほかの薬など
カルシウム拮抗薬	グレープフルーツやハッサクなど、フラノクマリンやナリンジンなどの成分を含む食品→降圧薬の効果を阻害
中枢性交感神経抑制薬	肉、魚、卵、大豆などたんぱく質の多い食品→降圧薬の吸収を阻害
血管拡張薬	レバー、カキ、ホタテなど亜鉛を多く含む食品→頭痛や頻脈などの副作用が増強
β遮断薬 ACE阻害薬 利尿薬	非ステロイド性抗炎症薬NSAIDs →降圧効果が弱まる
カルシウム拮抗薬 β遮断薬	ヒスタミンH2受容体拮抗薬（胃酸の分泌を抑える薬） →降圧効果が強く出すぎることがある
β遮断薬	血糖降下薬（糖尿病治療薬） →低血糖を発症しやすくなる β刺激薬（ぜんそく薬） →互いの薬効を打ち消し合う

第8章

生活習慣についての疑問 18

Q80 血圧を下げるには、我慢の生活ばかりでつらいのではないですか？

血圧を下げるための食事療法や運動療法というと、「好きな物を食べられない」「したくもない運動をさせられる」といった思い込みがあるかもしれません。しかし、血圧を下げるための食事や運動は、我慢して続けようとしても長続きしません。血圧を下げ、低めで安定させるには、前向きに、らくに続けられることが大切です。

そのためには、最初からすべてを完璧にクリアしようと思わないことです。例えば、つい塩辛いものを食べてしまったとき、罪悪感を抱いているだけでは塩分は出ていきません。次の食事で、塩分を排出する働きのあるカリウムを含む野菜をとるなどして、体内に塩分をためないようにしましょう（慢性腎臓病の人はカリウム摂取に注意）。コツをつかんで続ければ、「体調がよくなった」と感じるときがくるはずです。

また、近年、高血圧との関連で注目されているNO（一酸化窒素）を、体内で積極的に増やす工夫をするのも、血圧をらくに下げるコツの一つです。NOについては、11章（203ページ）でくわしく説明しているので、参考にしてください。（市原淳弘）

Q 81 減塩や運動で血圧はどのくらい下がるものですか？

下のグラフは、減塩、DASH（ダッシュ）食（野菜・果物・低脂肪乳製品が豊富で、飽和脂肪酸やコレステロールが少ない食事。170ページ参照）、運動、節酒といった生活習慣の修正でどれくらい血圧が下がるかを示したものです。最高血圧の降圧効果を見ると、DASH食が最も効果が大きく、次いで減塩と減量が続きます。

これら一つ一つを見れば、大きいものでも降圧効果は6ミリ程度で、効果が大きいと感じられないかもしれません。しかし、重要なのは、**いくつかを並行して行うと、大きな降圧効果が期待できる**ということです。減塩しながら運動をする、あるいは酒量を減らすなど、合わせ技で降圧に取り組みましょう。（市原淳弘）

生活習慣修正でどれくらい降圧できるか

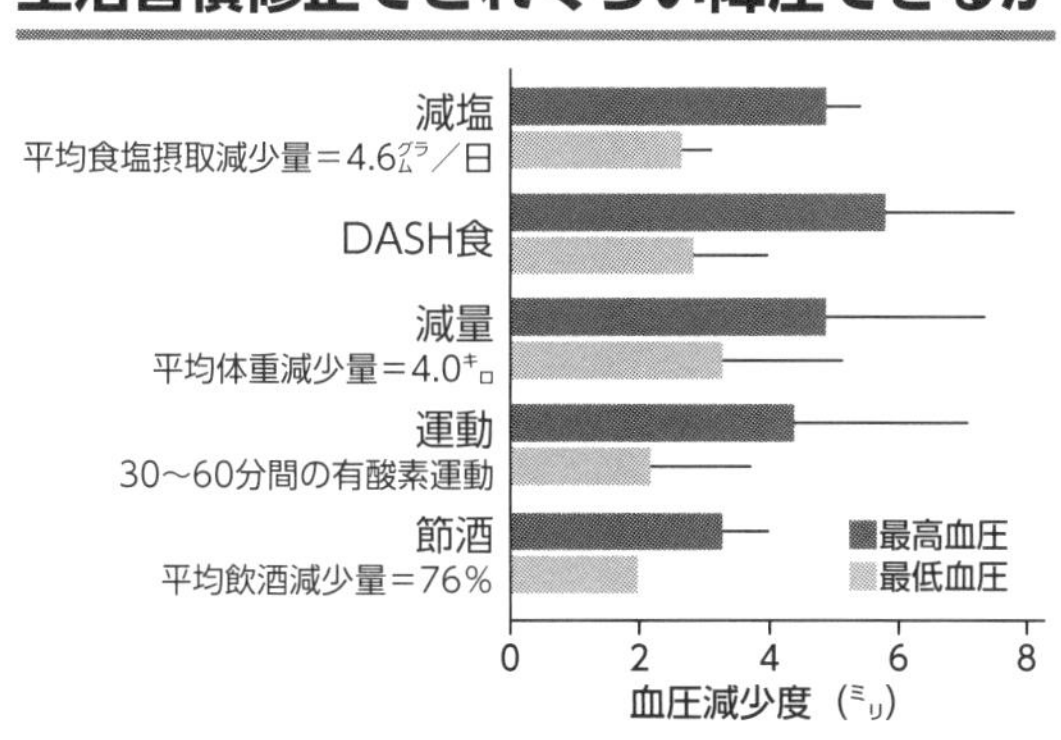

（日本高血圧学会「高血圧治療ガイドライン2019」より）

Q 82

食事療法や運動療法は本当に効きますか？

食事療法と運動療法は高血圧治療の基本です。降圧薬を飲んでいない人だけでなく、服用を始めた人も続ける意義があります。複数の降圧薬を使っても血圧がなかなか下がらない治療抵抗性高血圧の人でも、食塩を厳しく制限すると血圧が下がることが報告されています（図参照）。高血圧の人が習慣的に有酸素運動をすれば、最高血圧で8・3ミリ、最低血圧で5・2ミリの降圧効果があるといわれています。

さらに、食事療法のみでは最高血圧が8ミリ下がったが、食事療法に加えて運動療法も行った人は最高血圧が16ミリ下がったという報告もあります。食事療法、運動療法は降圧効果があり、併せて行えば大いに効果が高まるといえます。

（市原淳弘）

食塩制限の血圧への影響

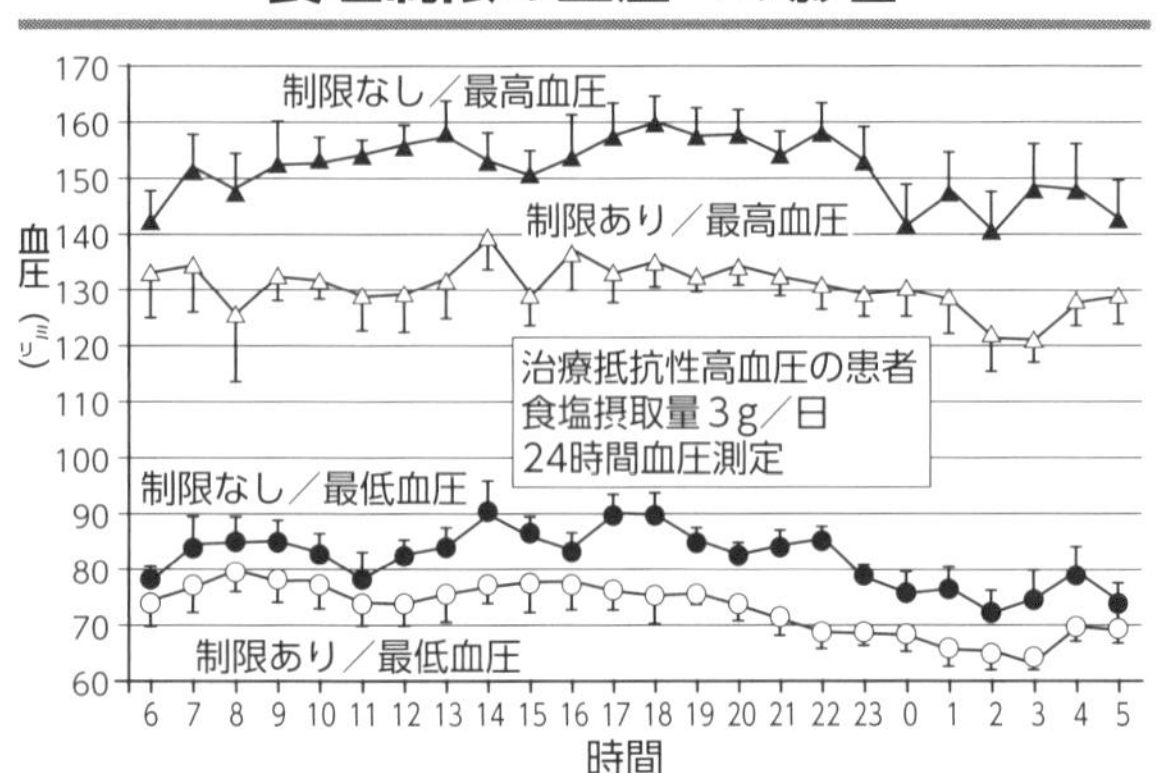

(Eduardo Pimenta, Krishna K. Gaddam, Suzanne Oparil, Inmaculada Aban, Saima Husain, Louis J. Dell'Italia, and David A. Calhoun: Hypertension 2009)

Q 83 体重はどのくらいをめざせばいいですか？

減量にも降圧効果があります。体重が1キロ減ると、最高血圧・最低血圧ともに約1ミリ下がるといわれています。

適正な体重の目安として、ＢＭＩ（体格指数）があります（計算方法は下図参照）。ＢＭＩ20の人を1とすると、ＢＭＩが25〜29・9の肥満の人では、高血圧になるリスクが1・5〜2・5倍にもなります。肥満の人は食べすぎによって塩分摂取量が多いうえに、インスリンが過剰に分泌（ぶんぴつ）されることで腎臓（じんぞう）でナトリウム（塩分）が再吸収されやすくなって、血液中にナトリウムが増え、それを薄めようと血管内の容量が増えて、高血圧になりやすいのです。また、インスリンの影響で、末梢（まっしょう）血管を収縮させる働きのあるカテコールアミンという物質が増えることも影響します。

ＢＭＩ22が標準体重とされていますが、まずはＢＭＩ25未満をめざし、肥満を解消しましょう。

（市原淳弘）

BMI（体格指数）の求め方

体格指数

□ ＝ 体重（キロ） / 身長（メートル）× 身長（メートル）

【例】身長170センチ、体重70キロの場合は
70÷（1.7×1.7）≒24　となる。

Q84 仕事でのプレッシャーは血圧に関係ありますか？

あります。仕事でプレッシャーを感じるなどのストレスがかかると自律神経（自分の意志とは関係なく血管や内臓の働きを支配する神経）のうち交感神経（心身を興奮させる働きのある神経）が優位になり心臓の働きが活発になること、血小板の働きが高まり血液がドロドロになることなどから、血圧が上がります。ふだんは正常値なのに昼間だけ高血圧になる昼間高血圧（職場高血圧。69ページ参照）はこのタイプです。

これが一時的なものか、あるいはまだ若いうちならいいのですが、長く続くと悪影響が出てきます。持続的なストレスや加齢による動脈硬化が進んでいると、急激な血圧上昇が原因で血管がつまり、脳卒中や心筋梗塞（こうそく）などを招きやすくなります。

仕事のストレスに加えて、よく眠れないといった睡眠障害があると、さらにリスクが高まります。**ストレスと睡眠障害の両方に当てはまる人は、高血圧によって心血管病で死亡するリスクが3倍に高まる**という報告もあります。さらに、仕事関連では**収入の減少もストレスとなり、収入が25％減少すると、高血圧および心血管死のリスクが高まる**といわれています。

（市原淳弘）

Q85 トイレのさいの注意点はありますか？

トイレは、脳心血管系の発作が多発する場所です。高血圧の人がトイレに行くさいの注意点をまとめてみましょう。

①**急にしゃがみ込まない**……急にしゃがみ込むと、足や腹部が圧迫されて血圧が上がります。和式よりも洋式トイレのほうが比較的圧迫が少なくてすみます。また、急に立ち上がっても血圧が上がるので、ゆっくりとした動作を心がけましょう。

②**我慢しない、いきまない**……排尿・排便時は血圧が上がります。特にいきむと血圧が急上昇するので、便秘解消に努めましょう。排尿を我慢しつづけるのも血圧を上げる原因となります。３時間トイレに行かなかった女性の最高血圧が、平均約４ﾐﾘ、最低血圧が約３ﾐﾘ上昇したという報告もあります。尿意を感じたら我慢せず、早めにトイレに行きましょう。

③**気温差に注意する**……特に冬はトイレが冷え切っていることが多く、急激な温度変化によってヒートショック（１４２ｼﾞﾍﾟｰ参照）を起こすことがあります。服装や暖房などを工夫して、急激な温度差にさらされないようにしましょう。

（市原淳弘）

Q 86

便秘は高血圧と関係がありますか?

便秘のためトイレでいきむと血圧が上昇しますが、それ以外にも、腸内環境が血圧に関係しているという研究があります。血圧が高い人のグループで腸内細菌の検査をした結果、腸に問題がある人が多いことが判明したのです。

健康な人の腸内フローラ（腸内に常に存在するさまざまな細菌の集まり）はバランスの取れた状態ですが、不規則な生活や食事の乱れ、ストレスなどによってバランスがくずれると便秘や下痢(げり)になり、腸内で炎症が起こります。すると腸から脳へ「炎症発生」の信号が送られ、交感神経（心身を興奮させる働きのある神経）が刺激されて活発に働くため、血圧を上昇させてしまうのです。

さらに、腸内の炎症によって炎症細胞が血液とともに全身の血管に運ばれ、血管内皮細胞（血管壁の細胞）のＮＯ(エヌオー)（一酸化窒素(ちつそ)。第11章参照）を作る働きを低下させてしまいます。ＮＯには血管を拡張して血圧を下げる作用があるため、減少すると血圧が上昇する要因になります。

（市原淳弘）

Q87 塩分を減らすため朝食を抜いています。いいですか？

朝食は、少しの量でもいいので、きちんととりましょう。毎朝決まった時間に朝食をとることと、朝日を浴びることは、血圧を安定させるのに役立つからです。このことには、体内時計が関係しています。

私たちの体には、体内時計が備えられており、個人差もありますが、平均すると１日約25時間の生体リズムを刻んでいるといわれています。地球の１日約24時間と少しずれる人もいて、これを毎日リセットし、微調整しているのです。

体内時計の中でも「中枢時計（中枢時計遺伝子）」と呼ばれるものは脳の視床下部というところにあり、朝起きて日光を浴びることでリズムが整います。もう一つ、内臓や血管などにある「末梢（まっしょう）時計（末梢時計遺伝子）」という体内時計は、朝の食事で刺激を受けて目覚めます。不規則な生活を続けたり、朝食を抜いたりせず、この２つのリセットをきちんと行うことで自律神経が整い、生活リズムが安定して、血圧も安定してくるのです。

（苅尾七臣）

Q88 天気や気温は血圧にどのくらい影響しますか？

血圧は、気温によって変動します。寒さによって血管が収縮するほか、血圧を上げて体温を維持しようとする体の働きも関係しています。

そのため、冬は誰でも血圧が上昇しがちで、脳卒中や心筋梗塞（こうそく）を起こす人が多いのです。早朝の血圧が5ミリ上がると脳卒中リスクが25％上昇するといわれ、特に、気温がグッと下がる冬の起床時は要注意です（下のグラフ参照）。

外へ出るときは保温を忘れず、家の中でも浴室、トイレ、廊下などは、なるべく居室と温度差のないようにしましょう。

また、夏でも、逆に、暑い屋外で汗をかいた状態で、冷房のよく効いた部屋へ入ると、血圧が急上昇するので注意しましょう。

（苅尾七臣）

季節による血圧への影響

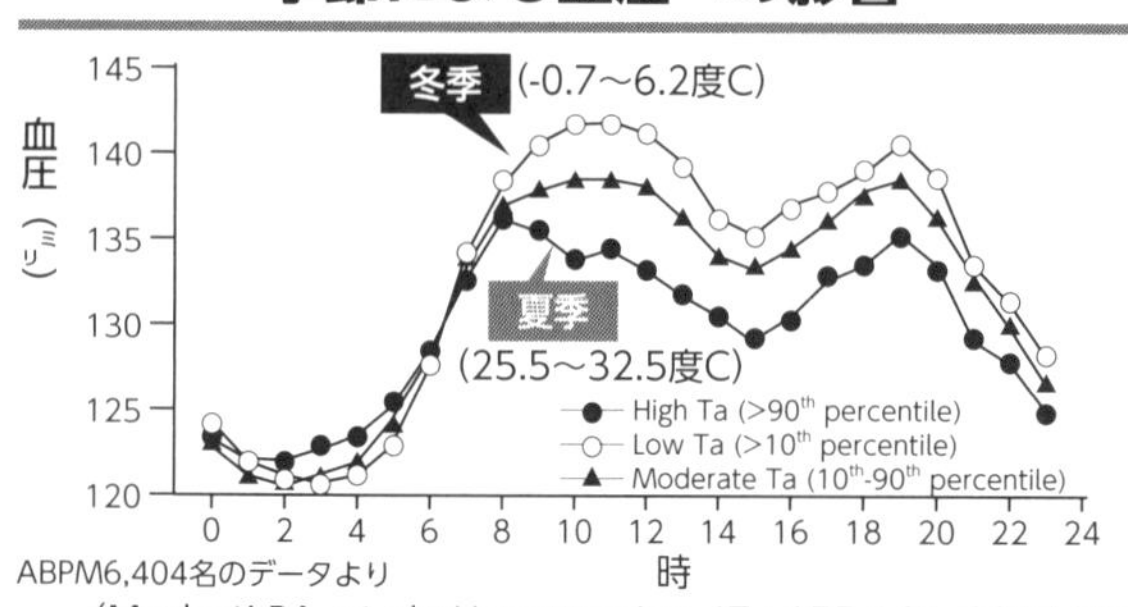

ABPM6,404名のデータより

(Modesti PA, et al : Hypertension 47 : 155-161, 2006より)

Q 89 晩酌の楽しみは続けていいですか？

飲酒するとアルコールの作用で血管が拡張し、血圧が下がります。しかし、多くの研究から、飲酒を習慣として長く続けると、飲酒量が多いほど血圧の平均値は上がり、高血圧リスクも高まることがわかっています。長期の飲酒習慣は、交感神経を活発にさせ血管が収縮しやすくなるほか、心臓の活動が高まり、腎臓（じんぞう）からカルシウムなどが失われることとも関係するといわれています。

具体的には、アルコールにして1日当たり約30ミリリットル以上飲むと、血圧が3ミリ上がるといわれています。これは、日本酒なら1合、ビール大びん1本、ワイン2杯程度の量です。飲酒量はこれ以内に留めましょう。また、アルコールを分解できる量（図参照）を超えて飲酒をする場合は、同量以上の水をいっしょに飲むと、血圧上昇を抑えることができます。

（市原淳弘）

アルコール分解量

●1時間に分解できるアルコール量（グラム）

［　　］＝体重（キロ）×0.1

●酒類に含まれるアルコール量（グラム）

［　　］＝酒の量（ミリリットル）×度数×0.8＊

【例】5％のビール500ミリリットルに含まれるアルコール量500×0.05×0.8＝20グラム。体重60キロの人は1時間に60×0.1＝6グラムずつ分解するので、分解するには20÷3＝約3.3時間かかる。

＊0.8はアルコールの比重

＊上の数値はあくまで目安であり、個人差があります。

Q 90 怒ったりクヨクヨしたりするのは、血圧にもよくないですか？

私たちの感情は、血圧に大きく影響します。これには、血圧などを調整する自律神経の働きがかかわっています。

自律神経には、心身が活発に活動するときに働く交感神経と、ゆったりと休むときに働く副交感神経があり、バランスを取り合っています。怒りや悲しみ、不安などのネガティブな感情はストレスとなって、交感神経を刺激します。交感神経は心拍数を増やし、血管を収縮させて興奮状態を作り出すため、血圧が上がります。私自身、現在は温厚なほうですが、若いころにある出来事で激怒したさい、血圧を測ってみたら、なんと最高血圧が２００ミリを超えていたという経験があります。

このようなストレスによる血圧上昇は、一時的なものなら問題ありません。しかし、何度もくり返したり、継続したりすると、なかなか血圧が下がらなくなってしまいます。クヨクヨする気持ちを切り換える気分転換法や、怒りの感情をコントロールするアンガーマネージメントを学ぶなどして、血圧上昇を防ぎましょう。（渡辺尚彦）

Q 91 禁煙はやはりしたほうがいいですか？

たばこを１本吸っただけで交感神経（心身を興奮させる働きのある神経）が刺激され、心拍数が増加すると同時に末梢血管も収縮するため、最高血圧が約20ミリ上昇するといわれています。しかも、上昇した血圧は15分以上持続します。

また、たばこに含まれる物質が血管壁にダメージを与え、血管が収縮しやすくなったり、血栓（血液の塊）ができやすくなったりして、動脈硬化を招きます。さらに、善玉（ＨＤＬ）コレステロールを減少させ、悪玉（ＬＤＬ）コレステロールを増加させることもわかっています。喫煙が心臓病のリスクを高めることは、米国のフラミンガム研究という有名な研究で確認されており、たばこを吸う人が虚血性心疾患や心筋梗塞になる危険性は吸わない人の２～３倍、突然死のリスクは５～10倍にもなります。たばこは百害あって一利なしなのです。

自分の意志だけでは禁煙が難しい場合は、ニコチンパッチなど禁煙補助剤を用いる方法もあるので、主治医に相談しましょう。禁煙後は、食べる量が増えて体重が増えがちなので、肥満にならないよう注意しましょう。

（市原淳弘）

Q92 入浴は短時間ですませればいいですか？

入浴は心身をリラックスさせ、質の高い睡眠にも役立ちます。高血圧だからと入浴をさけたり、シャワーだけですませたりせず、いい入浴習慣を作りましょう。

高血圧の人が入浴するさいの最大の注意点は、温度管理です。急激な温度変化によって血圧や脈拍が急激に変化することをヒートショックといいますが、入浴はヒートショックが起きやすく、脳卒中や心筋梗塞（こうそく）などの発作が起こりやすい場面です。

温度管理で注意すべきなのは、①部屋ごとの気温差（暖かい居室と寒い脱衣所や浴室の気温差。夏は冷房による気温差にも注意）、②体温と湯の温度差（体温を大きく超える湯温の湯船につかる）です。居室と脱衣所・浴室の気温差を少なくし、湯の温度はぬるめの38〜40度Cに調節して、体が急激な温度変化にさらされないようにします。

そのうえで、5〜10分の半身浴（肩を出して胸の下までつかる）をすると、リラックス効果が得られます。

風呂上がりは湯冷めしないよう服を着て保温し、急いで寒い廊下に出たり、夏は冷房の効いた部屋へ飛び込んだりせず、終始ゆったりと行動しましょう。

（苅尾七臣）

Q93 入浴で注意すべきことはないですか？

高血圧の人が入浴するさいに最も注意すべきことは、室温・湯温と体温の間に「大きな温度差を作らない」ことです。大きな温度差によって交感神経（心身を興奮させる働きのある神経）が刺激され、血圧の急上昇を招きます。急激な温度変化は、血圧サージ（30ページ参照）の原因になるのです。したがって、湯温は40度Cまでのぬるめに設定しておきます（前ページ参照）。脱衣所は、服を脱ぐときや湯上がりのさいに、体が温度変化にさらされやすい場所なので、浴室と同じくらいの室温にするのが理想です。特に冬は室温の差に要注意ですが、夏でも、暑いからと、風呂から上がってすぐに冷房の効いた部屋に飛び込むのは危険です。湯上がりは急に体が冷えないよう、首にタオルを巻いたり、靴下をはいたりして保温し、ゆっくりと体温を下げるようにしましょう。入浴は就寝の1時間前までがおすすめです。就寝の1～2時間前に入浴すると、寝つきがよくなり、睡眠も深くなるという研究報告があります。ゆったりとぬるめの湯につかり、手足の指でグーパー体操をしたり、軽いストレッチをしたりすれば、毛細血管の血流がよくなり、高血圧の改善に効果的です。

（島田和幸）

Q 94

最近あまりよく眠れません。高血圧と関係ありますか？

高血圧だからといって睡眠不足になることはほとんどありません。逆に、睡眠不足や睡眠時無呼吸症候群から高血圧になることはしばしばあります。睡眠時間が5時間以下の人は、7～8時間睡眠の人に比べ、高血圧になる可能性が倍以上あるという報告もあります。

実際、睡眠不足の人は、降圧薬を服用しても血圧のコントロールがうまくいかないことがあります。睡眠不足で交感神経（心身を興奮させる神経）が働きつづけると、血管が収縮して心拍量が大きくなり、血圧が上がります。同時に、不眠になると塩分を体外へ十分に排泄しにくくなるともいわれています。同じ分量の塩分をとっても、塩分が十分排泄されないため、高血圧になりやすくなるのです。

降圧薬を服用しても十分に高血圧が改善されず、その原因が睡眠不足や睡眠時無呼吸症候群にあると考えられる場合は、睡眠導入薬を処方することもあります。なお、降圧薬と睡眠導入薬を一緒に服用しても副作用の心配はまずありません。（苅尾七臣）

Q95 睡眠は何時間取ればいいですか？

高血圧の人にとって睡眠不足は大敵です。動脈硬化の原因となる血管壁の細胞のダメージを修復してくれる成長ホルモンは、約80％が眠っている間に分泌（ぶんぴつ）されるからです。また、十分眠ることによって副交感神経（心身をリラックスさせる神経）が働けば、血管が拡張して血圧が下がり、夜間高血圧や早朝高血圧、昼間の血圧サージを予防することができます。

数多くの人を何年も追跡した調査・研究によれば、睡眠不足の人に加え、なんと、睡眠が長い人も心血管病による死亡リスクが高かったという結果が出ています。最も死亡リスクが低かったのは、7時間眠る人でした。* 個人差はありますが、7時間前後（6時間30分～7時間30分程度）の睡眠時間がいいといえそうです。

睡眠は「質」も重要です。細胞のダメージを修復する成長ホルモンは、深く眠っている間にたくさん分泌されます。睡眠中は深い眠り（ノンレム睡眠）と浅い眠り（レム睡眠）をくり返しますが、「深い眠りがしっかり現れるような睡眠を、7時間前後取る」のが理想的といえるでしょう。

（島田和幸）

＊Kwok CS, Kontopantelis E, Kuligowski G, et al. Self-Reported sleep duration and quality and cardiovascular disease and mortality: a dose-response meta-analysis. J Am Heart Assoc. 2018;7(15):e008552, 「睡眠時間と循環器疾患死亡」池原賢代, JACC Study, 2010.

Q96 よく眠るためにはどうすればいいですか?

まずは朝、カーテンをあけて明るい光を浴びましょう。深い眠りを促すホルモンは朝の光を浴びると分泌(ぶんぴつ)が止まり、その後14~15時間後に再び分泌が始まるので、朝の光でこのリズムを整えることができます。また、夜はスマートフォンなどを寝室に持ち込まず、明るい光が目に入らない寝室環境にしましょう。スマートフォンなどの明るい画面を見ていると、眠りを促すホルモンの分泌が止まってしまうからです。

眠る前に心身をリラックスさせると、寝つきがよくなり、深く眠れます。手軽にできる方法として、「**筋弛緩法**(しかん)(漸進性筋弛緩法(ぜんしん))」がおすすめです。アメリカの精神科医が開発したリラックス法を簡略にしたもので、体にギュッと力を入れてはストンと脱力するだけの簡単な方法です。両手から始めて足まで行いますが、一部だけでもかまいません。就寝の30分前くらいに行い、そのまま布団の中に入ると効果的です。

寝る姿勢は横向きがおすすめです。気道に負担がかからず酸素を十分に取り込めるため、血圧が上がりにくくなります。特に睡眠時無呼吸症候群の人は、あおむけだと舌がのどに落ちて気道を塞(ふさ)ぐことがあるので、横向き寝がいいでしょう。(渡辺尚彦)

筋弛緩法のやり方

就寝30分前に1セット行う。
＊一部でもいい。

10秒間力を入れた後、15〜20秒間ゆるめて脱力感を味わう。要領は以下同じ。

❶ 両手

イスに腰かけて両腕を伸ばし、親指を包み込むように握り、両手をギューッと10秒間握る。ゆっくり広げて力を抜き、力が抜けた状態を15〜20秒間味わう。

❷

握りこぶしを肩に近づけ、曲げた腕全体にギューッと力を入れたら、力を抜いて腕を下ろす。

❸ 背中

曲げた腕を後ろにグーッと引っぱり肩甲骨どうしを引きつけたら、力を抜いて腕を下ろす。

❹ 肩

両肩を上げ、首をすぼめるように肩に力をれたら、ストンと力を抜く。

❺ 首

右側に首をひねって力を入れたら正面を向いて力を抜く。左も同じように行う。

❻ 顔

口をすぼめ、顔全体を顔の中心に集めるように力を入れたら、力を抜き、ポカーンと口をあける。

❼ おなか

おなかに手を当て、手を押し返すようにおなかに力を入れたら、スッと力を抜く。

❽ 足①

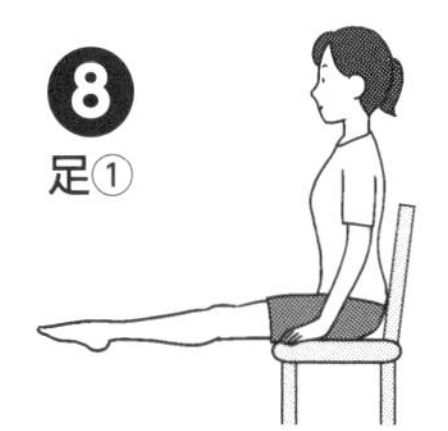

爪先まで足を伸ばし、足の裏側の筋肉に力を入れたら、スッと力を抜く。

❾ 足②

足を伸ばし、爪先を上に向け、足の前側の筋肉に力を入れたら、スッと力を抜く。

❿ 全身

❶〜❾までの全身の筋肉を一度に緊張させたら、ゆっくりと力を抜いて全身をゆるめる。

Q97 昼寝をすると血圧が下がると聞きましたが本当ですか？

昼食後、4時くらいまでの間に眠けを感じたことのある人は少なくないでしょう。この時間帯の昼寝は高血圧の人にとっていい影響があります。24時間血圧測定をしながら行われた調査・研究で、昼寝をした人は、していない人に比べて、最高血圧が平均で約5ミリ下がったという結果が報告されています。最高血圧の平均値が2ミリ下がると心筋梗塞の死亡率が7％下がるといわれていますから、これは大きな効果です。

ただし、1時間を超えるような長い昼寝は逆効果です。昼寝をしすぎると夜の寝つきが悪くなり、眠りの質も低下してしまいます。また、昼寝が1時間を超えると死亡リスクが増え、2時間を超えると昼寝をしない人よりも死亡リスクが約5倍に高まったという調査結果もあります。

昼寝の長さは15分程度、寝つくまでに時間がかかるのを含めて、30分くらいにしましょう。それを超えると睡眠が深くなりすぎ、脳はさらに眠りつづけようとする性質があるため、スッキリ目覚めることが難しくなります。

（島田和幸）

第9章

食事についての疑問 34

Q 98 高血圧対策でまず取り組むべき食事の改善は、なんですか？

高血圧の予防・治療で重要な食事の改善は、第一に減塩、次いで、カロリーのコントロールです。

減塩の対象となる塩分は、食事からとるナトリウムの量のことです。食塩の主成分である塩化ナトリウムをとりすぎると、血液中のナトリウム濃度が高くなります。体にはそれを薄めてバランスを取ろうとする働きがあるため、血管の外から中へと水分を取り込み、血液量が増加します。血液量が増加すると心臓が強い力で血液を送り出すようになり、血管にかかる圧力が高くなるため、血圧が上昇してしまいます。高血圧対策として減塩が重要視される理由はここにあります。

一方、脂質や糖質が多く、カロリーの高い食事は、悪玉（ＬＤＬ）コレステロールが多いことが問題です。高血圧・高血糖・喫煙の影響で傷ついた血管の内皮細胞に悪玉コレステロールや脂質が入り込むと動脈硬化を招き、高血圧をさらに悪化させてしまうからです。

（島田和幸）

Q 99 日本人には減塩は意味がないという話も聞きますが、本当ですか？

食塩をとると血圧が上がりますが、個人差が大きく、同じ量の塩分をとっても血圧が上がりやすい人と上がりにくい人がいます。食塩をとると血圧が上がりやすいことを「**食塩感受性**」といい、集団として見た場合は、アフリカ系アメリカ人や、高齢者、糖尿病の人に食塩感受性の高い人が多いといわれています。

減塩による降圧効果の大きい人はこのタイプの可能性がありますが、確実に判定する方法はありません。遺伝子レベルの研究が行われているものの、食塩感受性が高いかどうかをあらかじめ知る方法は、今のところないのです。日本人は食塩感受性が比較的高いといわれますが、それでも感受性が高い人は約２割程度といわれています。

日本人の大半は年齢・性別にかかわらず、食塩を１日６グラム以上とると血圧が上昇することが明らかになっています。減塩すれば血圧を確実に下げる効果が得られ、有害な影響はないので、減塩には意味があります。食塩感受性にかかわらず、誰に対しても「塩分は血圧を上げる」ということを肝に銘じ、減塩に努めましょう。（市原淳弘）

Q100 塩分をとりすぎると糖尿病にもなりやすいのですか？

日本人の糖尿病患者の約9割を占める2型糖尿病は、食べすぎや運動不足など、生活習慣の乱れから発症します。インスリン（食べ物から取り込んだブドウ糖をエネルギーなどに利用するために必要なホルモン）の量が不足したり、効きめが悪くなったりするために、ブドウ糖が血液中にダブつき、血糖値が高くなる病気です。

塩分自体は血糖値やインスリンに直接影響するわけではありません。しかし、塩分をとりすぎると、高血圧や肥満を招き、その結果としてインスリンが効きにくくなるため、糖尿病になるリスクが高まります。つまり、塩分の摂取量と糖尿病の発症リスクには相関関係があります。食塩の摂取量が2・5ムグラ増えるごとに2型糖尿病を発症するリスクが65％上昇するという研究*もあります。

一方、糖尿病によって血糖値が高い状態が長く続くと、腎臓（じんぞう）の機能が低下して腎臓からの塩分と水分の排泄（はいせつ）が減ることによって血液量が増加し、高血圧になりやすくなります。実際、糖尿病の人の約4～6割は高血圧でもあります。

（市原淳弘）

＊35歳超の2型糖尿病患者1,136人と対照群とのデータを比較（スウェーデン・カロリンスカ研究所環境医学研究所による研究）。

Q 101
減塩に何度取り組んでも長続きしません。何かいい方法はないですか？

減塩のコツ

- 新鮮な食材を使って持ち味を生かす
- 香辛料、香味野菜、果物の酸味を利用する
- 低塩の調味料を使う（酢、減塩調味料など）
- みそ汁は具だくさんにする
- 外食や加工食品を控える
- 漬け物は控える
- 食卓では味つけを確かめてから調味料を使う
- 麺類の汁は残す

（日本高血圧学会減塩委員会資料より引用改変）

いきなり薄味にすると、減塩は長続きしないものです。まずは自分で味を調整できる家庭での食事を少しずつ薄味にして、徐々に慣らしていきましょう。そのためには、よく食べる食品や調味料にどれくらい塩分が含まれているかを把握しておきます。食品の「食塩相当量」は必ずチェックしましょう（160ページ参照）。

腎臓病でカリウムを制限されていなければ、カリウムが豊富な食品（野菜、イモ類、果物など）を多めにとる方法もあります。カリウムはナトリウムを尿とともに体外へ排出する働きがあり、「とってしまった塩分」を「あとから出す」効果が期待できます。

（市原淳弘）

Q102 塩分は何から制限するのがいいですか？

食事のさい、食卓にしょうゆや塩、ソースなどの容器を置き、各自が好みで料理にかける習慣のある家庭も多いのではないでしょうか。日本人が何から塩分をとっているかを調べた調査で、実に**塩分摂取量の約4割を、調味料からとっていることが明らか**になっています。しかし、調味料からとっている塩分は、残り6割の加工品や食品自体にすでに含まれている塩分とは違い、自分で調節が可能で、制限をしやすい塩分です。

食卓で料理に塩やしょうゆをよくかける人は、単に習慣化しているだけで、実は塩味の濃さをそれほど感知していないという調査報告もあります。調理に使う調味料を減らして減塩することも必要ですが、まずこの「塩ふり習慣」「しょうゆかけ習慣」から変えて、なんとなく使ってしまっている塩分を減らせば、無理なく減塩の第一歩を踏み出せるでしょう。（渡辺尚彦）

日本人の食塩摂取源

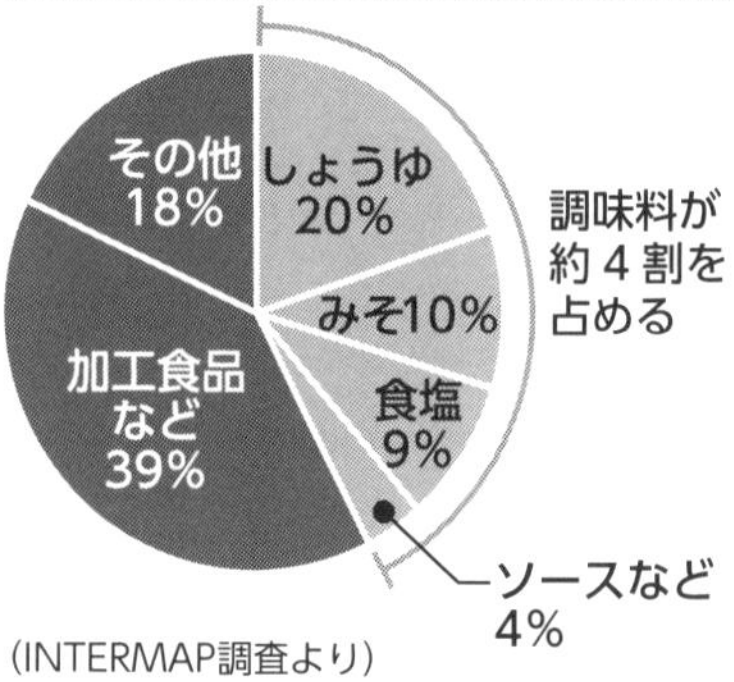

（INTERMAP調査より）

Q 103 調味料を減らすにはどんな工夫をするといいですか？

調味料を使いすぎる習慣を変えるには、いつもの行動を、ほんの少し変えてみるところから始めましょう。

①調味料を使う前にまず一口食べる

料理を一口も食べないうちにしょうゆなどをかけることが習慣化している人は、まずは何もかけないで一口食べてみましょう。普通はソースをかけて食べるような料理でも、調理の過程で下味がついていて、意外に塩けが感じられるものです。とりあえず料理を一口食べてみて、味を確認する習慣をつけましょう。

②調味料はかけずにつける

例えばしょうゆなら料理の上からかけず、小皿に取って「つける」ようにします。使う量が格段に減ります。

③ゆっくり食べる

よくかんでゆっくり食べると、食べ物のうまみや甘味が味わえて、満足感が得られます。また、よくかんで食べると早く満腹感が得られ、食べすぎを防ぐこともできます。

④味にメリハリをつける

メインになる一品はしっかり濃い味、その他をごく薄味にすると、全体の塩分が控えめでも満足感が得られます。丼物など一品料理なら小さめにして、ほかに減塩にしたサラダや酢の物を添えるなどの工夫をしましょう。

⑤だし、香味野菜、香辛料などを活用する

うまみがあると薄味でもおいしく感じられるので、だしは濃いめに取りましょう。また、香り高いシソやショウガなどの香味野菜やハーブ、パンチの効いた香辛料を利用して味にアクセントをつけるのもいいでしょう。

⑥低塩の調味料を使う

ドレッシングや三杯酢などに酸味を増やし、塩やしょうゆの使用量を減らすと、おいしく塩分を減らすことができます。酢のほか、レモン、スダチなどの柑橘果実を使うと、香りも加わっていっそう楽しめます。また、だしを加えて塩分を減らしただししょうゆや、塩化ナトリウムの含有量を減らしたしょうゆやみそなど、市販の減塩調味料を使う方法もあります。

（渡辺尚彦）

Q104 しょうゆや塩をついかけすぎてしまいます。何か対策はないですか？

一般的な食卓用のしょうゆさしやソース容器、塩入れは、少し傾けただけで意外にたくさんの量が出てしまうものです。試しに一度、料理を盛っていない皿の上で、料理があるつもりで、いつものようにしょうゆなどをかけてみましょう。恐らく、ビックリするような量になるはずです。

食卓にはなるべく調味料を置かないほうがいいのですが、それが難しければ、調味料の容器を替えるという方法があります。

しょうゆさしなら、1滴ずつ出せるものや、スプレータイプのものが市販されています。塩入れは穴が少ないものに替えるか、穴の半分をテープなどでふさいでしまうという手もあります。

（渡辺尚彦）

食卓での減塩の工夫

1滴ずつ出せるものや、スプレー式のしょうゆさしを使う

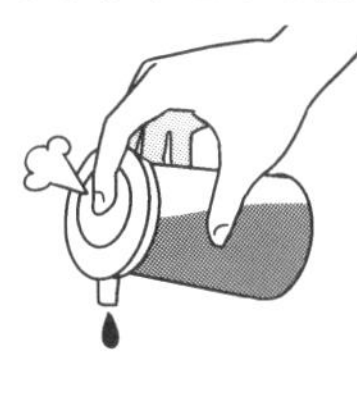

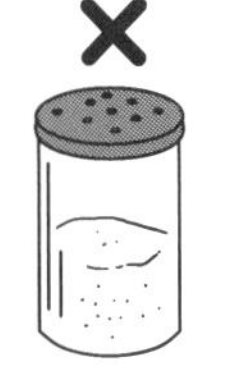

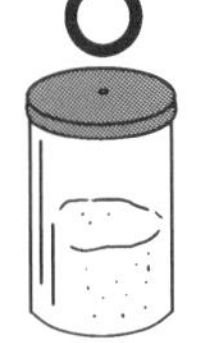

穴の数が少ない塩入れを使う。穴を半分テープでふさいでもいい

Q105 減塩できると人気の「泡しょうゆ」はどのようにして作りますか？

ムース状の「泡しょうゆ」が、減塩なのにしょうゆの味わいが十分感じられると話題になっています。実際、水で5倍程度に薄めたしょうゆを泡立てるので、そのままのしょうゆに比べると、含まれる塩分がグッと少なくなります。また、ムース状に泡立ててあることで、口に入れたときに舌に留まりやすく、味を長く感じることができ、よりコクが感じられます。食品の上にちょこっとのせることができるのもポイントです。垂れて余計なところにまで染み込むことがないので、使用量を抑えることができます。水を加えて泡立てるだけで作れる粉状の製品や、シェービングクリームのように容器を押すだけで泡状のしょうゆが出てくる商品も市販されていますが、好みのしょうゆを使って、自分で簡単に作ることができます。

材料は、しょうゆ（加熱処理してあるもの）、水、ゼラチンです。泡立て器やホイッパーを使いますが、電動のハンドミキサーがあれば、らくに泡立てることができます。作ったら冷蔵庫に保存し、なるべく早く使い切るようにします。

（渡辺尚彦）

泡しょうゆの作り方

材 料
(泡しょうゆ 300ミリリットル分)

しょうゆ（加熱処理したもの*）…小さじ 2
水（だしでも可） ……………………… 40ミリリットル
粉ゼラチン ……………………………… 1グラム
＊ 80 度 C のお湯 ……………… 20ミリリットル
＊氷水

❶ゼラチンに 80 度 C（沸騰しない程度の熱いお湯）のお湯を 20ミリリットル加えてよく溶かす。

❷ボウルにしょうゆと水を入れてまぜる。

しょうゆ
水

ボウルはステンレスやガラス製のものを使う

❸ゼラチンを加え、手早く 2 分くらい泡立てる。

❹ボウルの底を、氷水を入れた別のボウルに当てて、さらに 1 分泡立てる。

非加熱のしょうゆを使う場合は最初から氷水に当てること*

完成！
冷蔵庫で保存して早めに使い切る

＊非加熱のしょうゆ（なましょうゆ）を使う場合は、含まれる酵素の働きによって泡が消えやすい。酵素の働きを抑えるために、最初から氷水で冷やす。

Q106 食品の塩分の表示は、どう見ればいいですか？

２０２０年４月以降に製造した一般向け加工食品には、栄養成分表示が義務づけられています。１００グラム当たりのエネルギー、たんぱく質、脂質、炭水化物、食塩相当量の５項目は必ず表示されているので、これを見れば、その食品に含まれる食塩量がわかります（１食分の標準量を併記したものもある。生鮮食品は任意で表示）。これは日本高血圧学会が、食品の栄養成分表示を義務化し、ナトリウムではなく「食塩相当量」の表示をするよう関係省庁に働きかけて実現したものです。

ただし、２０２０年３月までに製造された食品では「食塩相当量」が「ナトリウム」として表示されていることがあります。その場合は、次ページの式を使って食塩相当量に換算できます。ナトリウム４００ミリグラムでおおよそ食塩１グラムになります。

食塩相当量の表示を見るときのポイントは、その食品が「実際にどれくらいの量、自分の口に入るのか」を考えることです。例えば「１パック２６０グラムで２人前」のスパゲティーのミートソースに食塩相当量が「１００グラム当たり２グラム」と表示されていたら、１人分のソースの量は１３０グラムで１００グラムの１・３倍ですから、２グラム×１・３で

2・6グラムとなり、100グラム当たりの食塩相当量の表示「2グラム」よりも多くなります。

外食やテイクアウトの食品では、栄養成分を公開している店もあるので、チェックしておきましょう。公開されていなくても、よく食べる料理のおよその塩分量を調べておき、1食分の塩分がなるべく少なくなるよう考えて選びましょう。

（市原淳弘）

食品や料理に含まれる食塩量の例

食品・料理	食塩量
カップ麺1個（100グラム）	5.5グラム
きつねうどん1人前	5.3グラム
にぎりずし1人前（しょうゆ込み）	5.0グラム
カレーライス1人前	3.3グラム
麻婆豆腐1人前	3.0グラム
サバみそ煮1人前	2.5グラム
梅干し1個（10グラム）	2.0グラム
ハム3枚（60グラム）	1.5グラム
みそ汁1杯	1.5グラム
いなりずし2個	1.4グラム
アジの開き1枚（60グラム）	1.2グラム
おにぎり1個（明太子、106グラム）	1.2グラム

＊この数字はあくまで目安で、店・製品・調理方法などにより差があるので注意。（日本高血圧学会減塩委員会資料、女子栄養大学出版部「毎日の食事のカロリーガイド改訂版」より）

栄養成分表示の例

栄養成分表示 100g当たり

エネルギー	115kcal
たんぱく質	4.1g
脂質	5.0g
炭水化物	13.5g
食塩相当量	2.0g

この商品が1パック260グラムで2人分だった場合、1人分は130グラムで100グラムの1.3倍。1人分の食塩相当量は2.0グラム×1.3=2.6グラム。

ナトリウムから食塩相当量への換算

$$\text{食塩相当量（グラム）} = \frac{\text{ナトリウム量（ミリグラム）} \times 2.54}{1000}$$

【例】「ナトリウム 3.5g」と表示されている場合
3500ミリグラム×2.54÷1000＝8.89（グラム）

Q 107 塩分の摂取量を簡単に管理する方法はないですか？

自分の塩分摂取量を客観的に評価するのはなかなか難しいものですが、「塩分チェックシート」を利用すれば、自分の塩分摂取の傾向を簡単に調べることができます。

みそ汁、漬け物など高塩分食品7項目を食べる頻度、食べ方や家庭の食事の傾向などの質問に答えていけば、減塩のポイントがわかるようになっています。製鉄記念八幡病院のサイト（https://www.yawata-mhp.or.jp/salt_check/）から入手できます。

（市原淳弘）

塩分チェックシート（見本）

あなたの塩分チェックシート　No.

年　月　日　年齢　歳　性別：男　女

当てはまるものに○をつけ、
最後に合計点を計算してください。

		3点	2点	1点	0点
これらの食品を食べる頻度	みそ汁、スープなど	1日2杯以上	1日1杯くらい	2～3回／週	あまり食べない
	つけ物、梅干しなど	1日2回以上	1日1回くらい	2～3回／週	あまり食べない
	ちくわ、かまぼこなどの練り製品		よく食べる	2～3回／週	あまり食べない
	あじの開き、みりん干し、塩鮭など		よく食べる	2～3回／週	あまり食べない
	ハムやソーセージ		よく食べる	2～3回／週	あまり食べない
	うどん、ラーメンなどの麺類	ほぼ毎日	2～3回／週	1回／週以下	食べない
	せんべい、おかき、ポテトチップスなど		よく食べる	2～3回／週	あまり食べない
しょうゆやソースなどをかける頻度は？		よくかける（ほぼ毎食）	毎日1回はかける	時々かける	ほとんどかけない
うどん、ラーメンなどの汁を飲みますか？		全て飲む	半分くらい飲む	少し飲む	ほとんど飲まない
昼食で外食やコンビニ弁当などを利用しますか？		ほぼ毎日	3回／週くらい	1回／週くらい	利用しない
夕食で外食やお惣菜などを利用しますか？		ほぼ毎日	3回／週くらい	1回／週くらい	利用しない
家庭の味付けは外食と比べていかがですか？		濃い	同じ		薄い
食事の量は多いと思いますか？		人より多め		普通	人より少なめ
○をつけた個数		3点×　個	2点×　個	1点×　個	0点×　個
小計		点	点	点	0点
合計点		点			

チェック✓	合計点	評価
	0～8	食塩はあまりとっていないと考えられます。引き続き減塩をしましょう。
	9～13	食塩摂取量は平均的と考えられます。減塩に向けてもう少し頑張りましょう。
	14～19	食塩摂取量は多めと考えられます。食生活のなかで減塩の工夫が必要です。
	20以上	食塩摂取量はかなり多いと考えられます。基本的な食生活の見直しが必要です。

医療スタッフからのコメント：

Q 108 減塩食品にはどのような製品がありますか？

「減塩食品」とは、食塩の主成分である塩化ナトリウムの含有量を抑えた食品のことです。しょうゆ、めんつゆ、みそ、ドレッシング、ソース、だしの素などの調味料には、ほぼなんでも減塩の製品があります。塩ですら塩化ナトリウムの含有量を約半分に抑えた製品があります。しょうゆやみそなど、日常的に使われる減塩調味料は、スーパーでも比較的手に入りやすくなってきました。ただし、減塩調味料は塩化ナトリウムの代わりに塩化カリウムを添加していることがあるので、腎臓（じんぞう）病でカリウム制限をしている人が使う場合は成分をよく確かめ、主治医に相談してください。

肉の加工品（ハム、ソーセージ、ベーコン、ビーフジャーキーなど）、魚の加工品（かまぼこ、ちくわ、さつまあげ、しらす干し、明太子、さきいかなど）、漬け物、佃煮（つくだに）、即席麺（めん）、せんべい類といった、普通なら「高塩分だから」とあきらめていたような食品でも、塩分を減らした製品が数多く出てきました。

日本高血圧学会減塩委員会のサイト（https://www.jpnsh.jp/general_salt.html）にリストが掲載されているので、参考にするといいでしょう。

（市原淳弘）

Q 109 カリウムをとると、高血圧の危険性を減らせるって本当ですか？

通常、血液中のナトリウム（塩分）の濃度はほぼ一定ですが、塩分をとりすぎると、濃度が上がります。体はナトリウムを薄めようとして水分を血管内に取り込み、結果として血液量が増えて心臓が活発に働くため、血圧が上がってしまいます。

塩分をとりすぎるとのどが渇きますが、水分をたくさんとっても、血液量が増えて血圧が上がるだけで、余分なナトリウムは排出されません。塩分をとりすぎて水をたくさん飲んだあと、顔などにむくみが出ることがあるのはこのためです。

そこでカリウムをとると、ナトリウムが腎臓で再吸収されるのを抑えることができるため、余分なナトリウムを尿とともに排泄することができます。

アメリカの大学の循環器病研究によれば、***カリウムの摂取量を1日1・6グラム増やすと脳卒中のリスクが21％減少する**とされています。カリウムを豊富に含む野菜や果物を毎日の食生活に取り入れましょう。

（市原淳弘）

＊Mente A, O'Donnell MJ, Rangarajan S, McQueen MJ, Poirier P, Wielgosz A, Morrison H, Li w, Wang X, Di C, Mony P, Devanath A, Rosengren A, Oguz A, Zatonska K, Yusufali AH, Lopez-Jaramillo P, Avezum A, Ismail N, Lanas F, Puoane T, Diaz R, Kelishadi R, Iqbal R, Yusuf R, Chifamba J, Khatib R, Teo K, Yusuf S; PURE Investigators. 2014 Association of urinary sodium and potassium excretion with blood pressure.; N Engl J Med 2014 Aug 14;371:601-11

Q 110 現代人はカリウムが不足しているそうですが、なぜですか？

「日本人の食事摂取基準」（２０２０年版・厚生労働省）によれば、カリウムの目標量は成人男性で３０００㍉グラム、女性は２６００㍉グラムです。しかし、「国民健康・栄養調査」（平成30年・同省）によれば、実際の１日当たり摂取量の平均値は、20歳以上男性で２４５４㍉グラム、女性で２２８２㍉グラムとなっており、不足しています。

カリウムは水溶性で、煮たりゆでたりする加工で流れ出てしまうため、採取や狩猟で得た食材をあまり加工せずに食べていた原始時代は、カリウムの摂取量も多かったと考えられます。それに比べて現代人は、加工食品を利用することが多いためカリウムの摂取量が少なく、原始時代の16分の１しかカリウムをとっていないといわれています。カリウム不足のまま塩分摂取量の多い生活を続けていると、塩分が十分に排泄（はいせつ）されず、高血圧を招いてしまいます。

腎臓（じんぞう）病でなければ、塩分を排出しやすくするために、**ナトリウムに対してカリウムはその2倍をとりたいところです。**

（市原淳弘）

Q 111 カリウムを効率よくとれる食材を教えてください。

カリウムは野菜、果物、イモ類、豆類、海藻に多く含まれています。ただし、効率よくカリウムをとるには、実際に食べるときの状態や量を意識するようにしましょう。

下の表はいずれもカリウムの多い食品ですが、可食部（食べられる部分）100グラムでの比較です。例えば、アーモンドは100グラム中のカリウム量は760ミリグラムですが、実際の量にすると100粒くらいに相当し、カロリーは約600キロカロリーにもなり、現実的ではありません。実際に食べる標準的な量でカリウムをたくさんとれるのは、野菜やイモ類です。

（市原淳弘）

カリウムの多い食品例

食品	含有量	食品	含有量
枝豆（ゆで）	490	バナナ	360
ホウレンソウ（ゆで）	490	納豆（糸引き納豆）	660
リーフレタス（生）	490	アーモンド（乾）	760
カボチャ（ゆで）	430	ピーナッツ（乾）	740
タケノコ（ゆで）	470	ホタテ貝柱	380
サトイモ（水煮）	560	マコンブ（乾）	6100
ジャガイモ（蒸し）	420	コンブだし	160
ヤマトイモ（生）	590	ヒジキ（乾）	6400
アボカド	720	ヒジキ（ゆで）	160

＊可食部100グラム当たり／単位：ミリグラム（文部科学省「食品成分データベース」ほかより作成）

Q 112 肥満や糖尿病でもカリウム豊富な果物を食べたほうがいいですか？

肥満や糖尿病の人は、食品に含まれる糖質の量、カロリーにも注意しなければなりません。果物には果糖が含まれており、食べすぎるとカロリーオーバーになってしまうこともあるので、注意しましょう。

具体的には、果物からとるカロリーは、1日に80キロカロリー程度を目安とします。バナナなら中1本、リンゴなら半分くらいです。

（市原淳弘）

果物80キロカロリー分でとれるカリウムの量

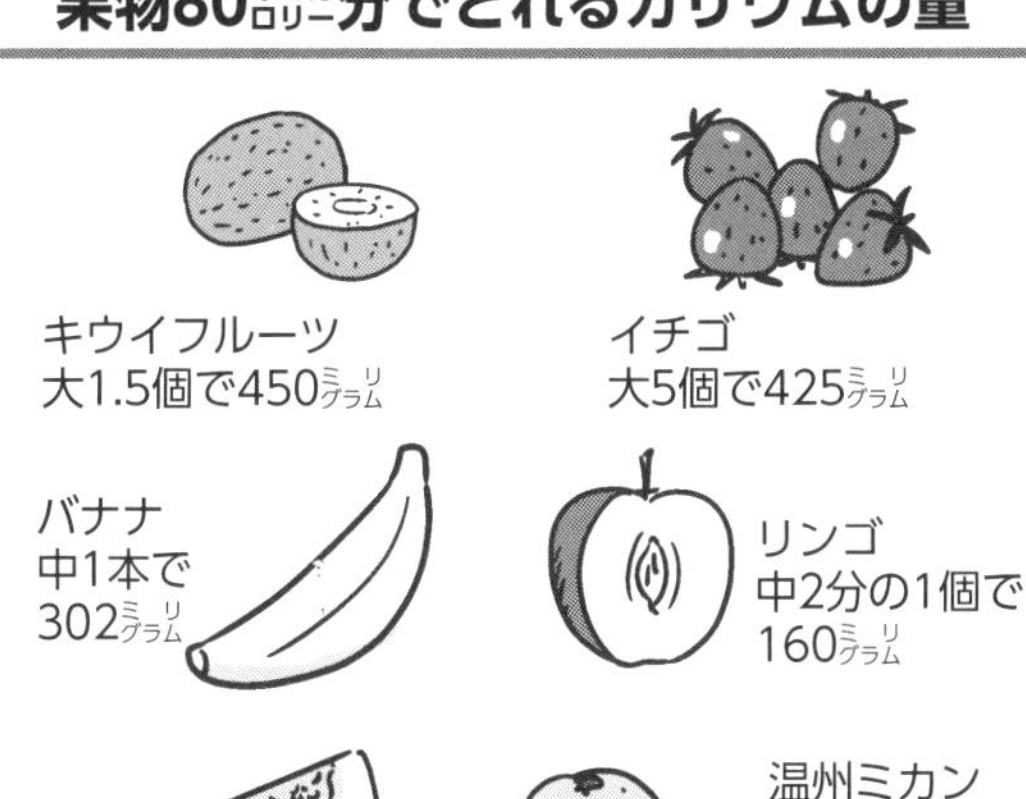

（文部科学省「日本食品標準成分表2015年版（七訂）」をもとに作成）

Q113 カリウムを効率よくとる調理法はありますか？

カリウムは水溶性なので、煮る、ゆでる、水にさらすといった調理で流れ出てしまいます。野菜などを洗うさいも、手早く行いましょう。

生で食べるのが理想ですが、無理なものは蒸すか、電子レンジで加熱すれば、カリウムの損失が少なくてすみます。煮る場合は、できればゆで汁もスープとして飲むといいでしょう。油炒（いた）めでもカリウムの損失が少なく、カサが減るため、たくさん食べられます。ただし、使用する油は少量に留めてカロリー控えめにしましょう。また、野菜や果物は皮にカリウムが多く含まれていることが多いので、できるかぎり皮も捨てずにとるといいでしょう。

（市原淳弘）

調理によるカリウム量の変化

可食部100グラム当たりで比較

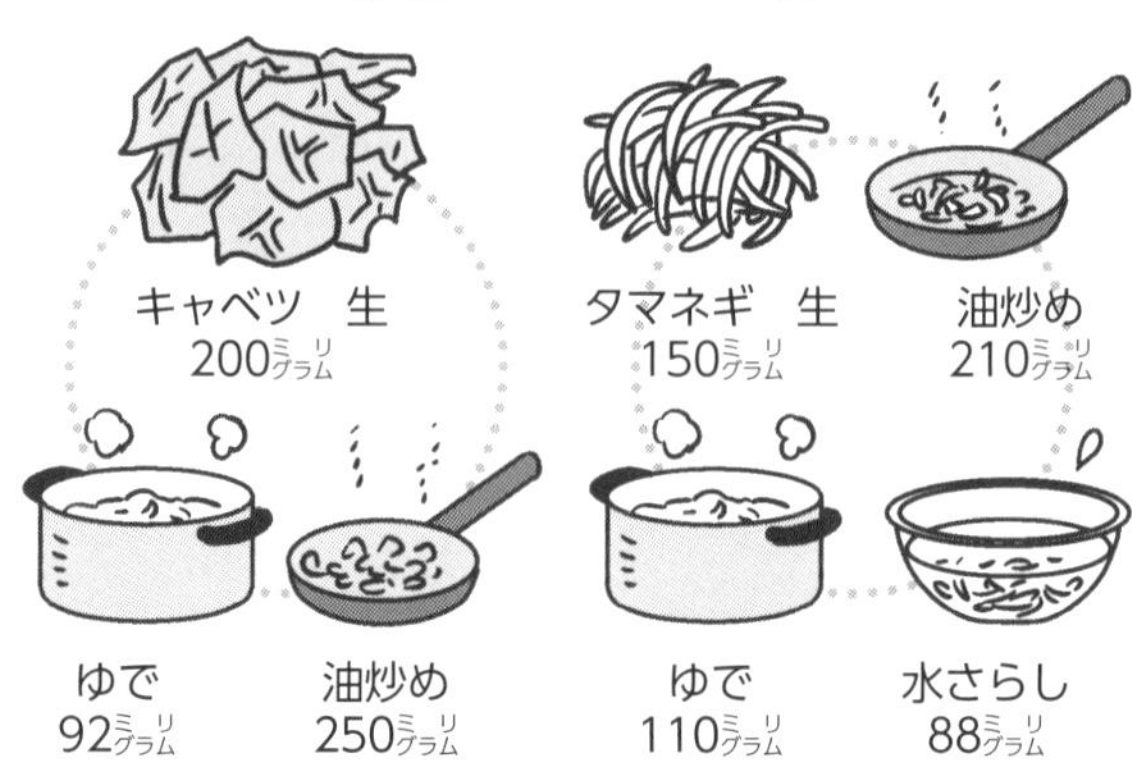

（文部科学省「食品成分データベース」より作成）

Q 114 塩分の排出を促してくれる身近な食品はありませんか？

塩分を体外へ排出するのに役立つ栄養素としては、カリウム、マグネシウム、カルシウムがあります。カリウムの多い食材は、野菜、果物、豆やトウモロコシ、ライ麦などの穀物、海藻類、コンニャクです。ただし、腎臓（じんぞう）病の人でカリウムを制限されている人は、カリウム摂取量が制限量を超えないよう注意する必要があります。

マグネシウムとカルシウムはカリウムの塩分排出効果を助けます。大豆やナッツ類、キノコ、海藻などに多いマグネシウムには、カリウムとナトリウムのバランスを調整し、血管を広げて血圧を安定させる働きがあります。乳製品や小魚、ゴマなどに多く含まれるカルシウムには、血圧を上昇させるホルモンを抑える働きがあります。

カリウム、マグネシウム、カルシウムの３つが手軽にとれる食材の代表は、納豆です。食物繊維も豊富で、便秘解消やダイエットにも役立ちます。ただし、血栓（血液の塊）を予防する抗凝固薬・ワーファリンを服用している人は、納豆が薬の効果を打ち消してしまうので、控えてください。

（島田和幸）

Q 115 「DASH食」とはどんな食事法ですか？

ＤＡＳＨ（ダッシュ）食はDietary（ダイエタリー） Approaches（アプローチズ） to Stop（トゥーストップ） Hypertension（ハイパーテンション）の略称で、「高血圧を防止する食事法」といった意味です。アメリカで高血圧の予防・改善のために推奨され、日本高血圧学会「高血圧治療ガイドライン２０１９」でも降圧効果が期待できる食事法としています。その内容は、塩分と炭水化物の摂取量を減らし、飽和脂肪酸やコレステロール摂取量を減らし、塩分排出に役立つ３つのミネラル「カリウム・カルシウム・マグネシウム」と食物繊維をたっぷりとるというものです。

ただし、もともと欧米人を想定しているため、若干、日本人の食生活の実情に合わない点もあります。以下に、日本型の食生活でＤＡＳＨ食を実践する場合の要点をあげていきます。なお、食事に特別な配慮が必要な糖尿病や腎臓（じんぞう）病の人は、必ず医師に相談してから行ってください。

①極端な糖質制限はさける……ＤＡＳＨ食では炭水化物の制限を推奨していますが、ご飯を１粒も食べないといった極端な糖質制限はさけましょう。米を中心とした日

本型の食生活では欧米型の糖質制限をそのまま実践することは難しく、エネルギー不足や体の酸性化などを招き、危険な場合もあるので、量をやや減らす程度に留めましょう。ご飯は塩分を含まない唯一の主食でもあります。

②食物繊維の多い食品は最初に食べる……食事の最初に食物繊維の多い野菜やキノコ、海藻類を食べましょう。腸での糖質や脂質の吸収を抑えるほか、満腹感も得られるので、ご飯の量を控えめにしても満足感のある食事ができます。

③たんぱく質をしっかりとる……血管を含む人体を構成する細胞の原料になるのは、たんぱく質です。たんぱく質は、血管を広げる作用のあるＮＯ（一酸化窒素）という物質の原料にもなります（２０４ページ参照）。特に高齢者はたんぱく質が不足しがちなので、意識して肉、魚、大豆製品、乳製品などを多めにとるようにしましょう。ただし、肉の脂身や乳脂肪分には悪玉（ＬＤＬ）コレステロールを増やす飽和脂肪酸が多いので、赤身肉や、低脂肪の乳製品を利用しましょう。

④多価不飽和脂肪酸を含む油をとる……ＥＰＡ（エイコサペンタエン酸）、ＤＨＡ（ドコサヘキサエン酸）はともに不飽和脂肪酸の一種で、動脈硬化を予防・改善する効果があり、青魚の脂肪に豊富に含まれています。オリーブ油、アマニ油などに含まれるα-リノレン酸も、体内でＥＰＡやＤＨＡに変換されます。（島田和幸）

Q 116

「地中海食」が高血圧にいいと聞きましたが、どんな食事法ですか？

地中海食は、地中海沿岸のイタリア、スペイン、ギリシャなどの伝統的な食事のことで、ユネスコ（国際連合教育科学文化機関）の無形文化遺産にも指定されています。

オリーブ油を多用し、魚介類を豊富にとるのが特徴で、多価不飽和脂肪酸（α（アルファ）-リノレン酸やEPA[*1]、DHA[*2]など）が多く含まれ、それらの働きで中性脂肪を減らす効果があるとして、近年注目されています。中性脂肪を減らすことで、動脈硬化を予防し、血圧を下げる効果も期待できます。

地中海食が健康にどのように影響するかについては数多くの研究が行われています。フランスの

地中海食の特徴

①植物性の食品（果物、野菜、パンその他の穀物製品、豆類、ナッツ類）が豊富
②あまり加工せず、新鮮で、その地域で栽培された食品を用いる
③デザートは新鮮な果物、ナッツ菓子など
④食事に用いる脂質は主にオリーブ油を使う
⑤少量〜中量の乳製品（主にチーズとヨーグルト）をとる
⑥卵は週に４個未満
⑦赤身肉はそれほど食べない
⑧少量〜中量のワインを食事とともにとる

(#13218. Serra-Majem L, et al, Public Health Nutr 2004; 7: 927-9.)

＊1 EPA: エイコサペンタエン酸　＊2 DHA: ドコサヘキサエン酸

研究では、心筋梗塞を起こしたことのある人を、今までどおりの食事をするグループと、地中海食に変えたグループに分けて調査し、５年後には地中海食のグループのほうが心筋梗塞による死亡率が低かったことが報告されています。

（市原淳弘）

地中海食のフード・ピラミッド

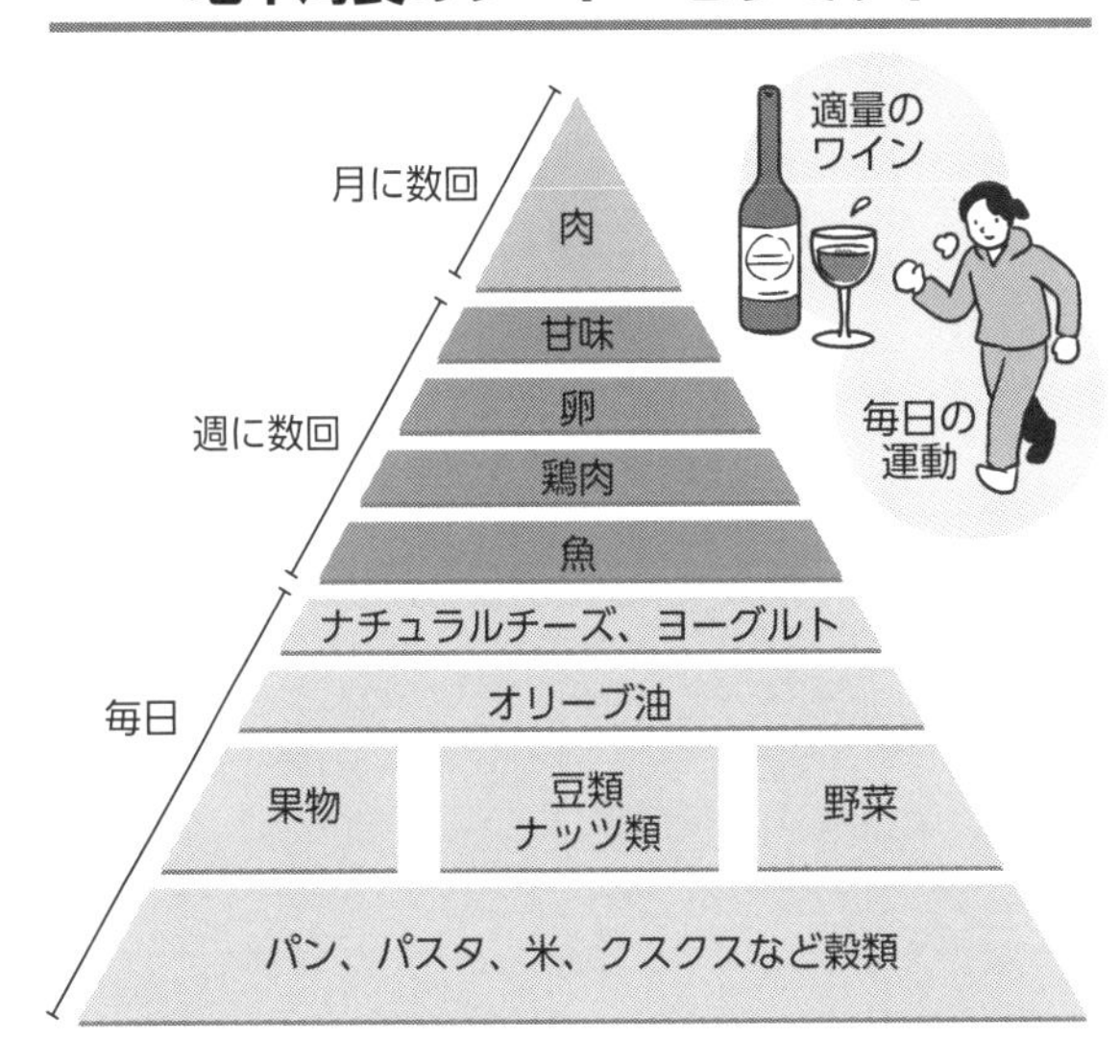

地中海食と心筋梗塞による死亡率の関係

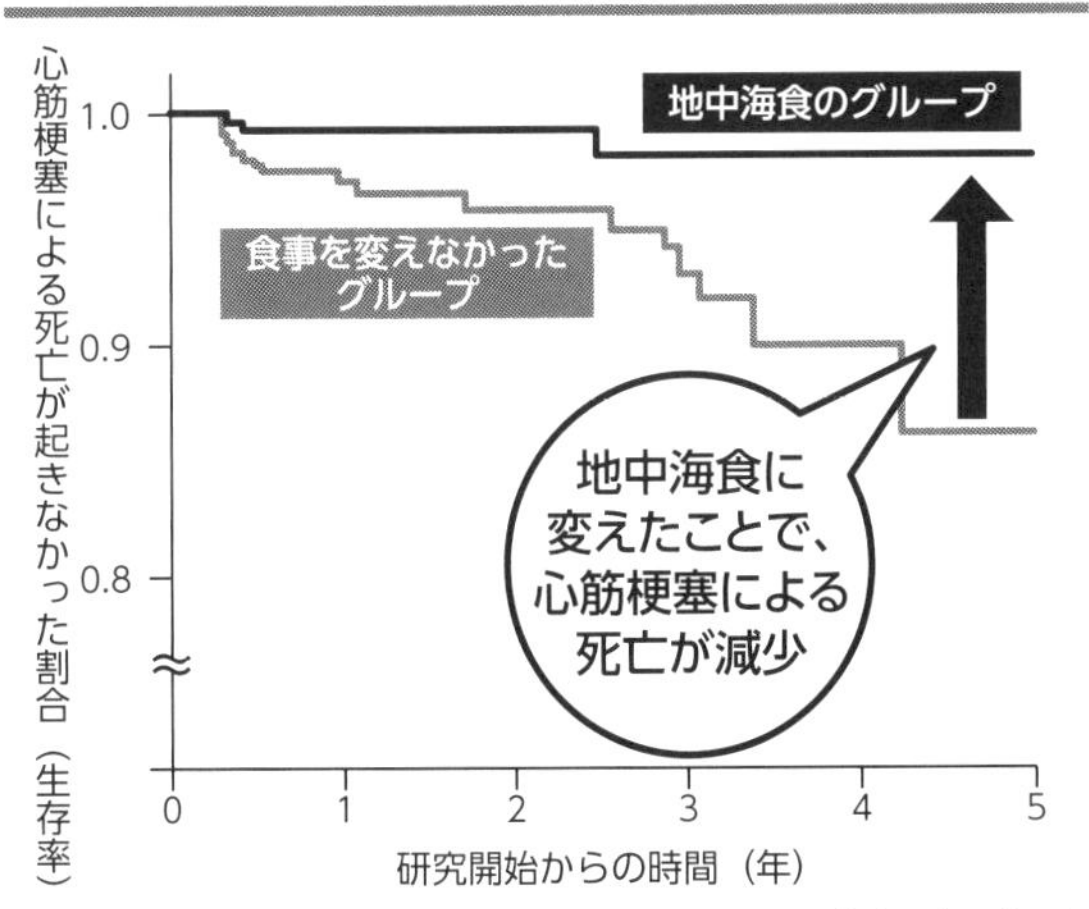

(De Lorgeril, Michel, et al. Mediterranean alpha-linolenic acid-rich diet in secondary prevention of coronary heart disease. Lancet 1994;343.8911:1454-1459.)

Q 117

高血圧の人は食後は何を飲むのがいいですか？

お茶やコーヒーにはカフェインが含まれており、とった直後は少しだけ血圧が上がりますが、カフェインには血管を健康に保つ効果があるとされています。さらに、お茶やコーヒーを毎日5杯程度飲みつづけると、含まれるポリフェノール[*1]の働きで、血圧を下げる効果も期待できます。ただし、ミルク[*2]を一緒にとるとポリフェノールの働きを打ち消してしまうので、コーヒーや紅茶を飲むならストレートがいいでしょう。

毎日1杯[*3]の緑茶を1年以上飲みつづけた人は、飲まない人に比べて、高血圧を発症する危険性が46％も少なかったという報告もあります。しかもその効果は、正常血圧の人よりも、血圧が高めな人のほうが大きかったとされています。お茶に含まれるカテキン（ポリフェノールの一種）は、食事でとったご飯や肉などが約8時間で体内で吸収されるのに比べてずっと早く、飲んで1～2時間で75％が血液中に吸収されます。そのため、食後にお茶を飲んでも、血圧の上昇を抑える効果が期待できます。

カテキンは煎(せん)茶、番茶、玉露などの緑茶のほか、緑茶よりは少ないですが、ウーロン茶、紅茶にも含まれています。

（市原淳弘）

*1 活性酸素などの有害物質を無害にする作用が強い物質。
*2 佐藤満昭，茶カテキンの機能と調理時における構造的変化.，日本調理科学会誌 Vol.40，No.4，223～230(2007)〔総説〕
*3 Yi-Ching Yang, MD, MPH; Feng-Hwa Lu, MD, MS; Jin-Shang Wu, MD; et al., The Protective Effect of Habitual Tea Consumption on Hypertension. Arch Intern Med. 2004;164(14):1534-1540.

Q118 お菓子やジュースはとっても大丈夫ですか？

少量なら大丈夫ですが、お菓子もジュースも、要注意なのは甘味料です。甘い飲み物やゼリーなどの甘味料として広く使われている[*1]高果糖コーンシロップ（「果糖ブドウ糖液糖」などと表示されている）には、血圧を上昇させる作用があるといわれています。ソフトドリンクを1杯飲んだだけで、最高血圧が15ミリ、最低血圧が9ミリ上昇したという報告もあります。

スナック菓子などに甘味料として使われている甘草（かんぞう）（漢方薬にも用いられる生薬の一種）も、高血圧にはよくない作用をします。甘草は、体内にあるコルチゾールというホルモンの分解を妨げる働きがあります。コルチゾールは塩分をため込むように作用するので、結果として体内に塩分が留まりやすくなります。[*2] 2週間甘草を食べつづけると動脈硬化が起こり、血管機能が悪化して脈圧（最高血圧と最低血圧の差。66ページ参照）が大きくなったという研究報告もあります。

飲み物やお菓子を選ぶさいは、必ず原材料の表示を見て、高果糖コーンシロップ（果糖ブドウ糖液糖）や甘草が使われているものはさけましょう。（市原淳弘）

＊1 Alice Victoria Klein and Hosen Kiat, The mechanisms underlying fructose-induced hypertension: a review.: J Hypertens. volume33(5): 912-920(2015)
＊2 Elina J. Hautaniemi,corresponding, Anna M. Tahvanainen, Jenni K. Koskela, Antti J. Tikkakoski, Mika Kähönen, Marko Uitto, Kalle Sipilä, Onni Niemelä, Jukka Mustonen, and Ilkka H. Pörsti Voluntary liquorice ingestion increases blood pressure via increased volume load, elevated peripheral arterial resistance, and decreased aortic compliance.; Scientific Reports volume 7, Article number; 10947(2017)

Q119 甘い物が食べたくなったら、何を食べればいいですか？

甘いおやつを食べたくなったときおすすめなのは、バナナを使った手作りお菓子です。

バナナには、体内の過剰な塩分を排泄(はいせつ)する働きのあるカリウムが多く含まれ、また、血管の緊張をゆるめるセロトニンというホルモンの材料になる、トリプトファン（アミノ酸の一種）も含まれています。

手軽にとれるバナナだけを食べてもいいのですが、バナナによく合うシナモンを加え、ひと手間かけて相乗効果をめざしましょう。シナモンは、血管の内皮細胞にある「Tie2(タイツー)」という物質を活性化する作用があり、これにより、毛細血管の血流を改善させる効果が期待できます。

マフィン生地やパンケーキのタネにバナナとシナモンを加えて焼いたり、手軽なところでは、バナナを適当な大きさに切ってフライパンで軽くソテーし、仕上げにシナモンを振ったりすれば、それだけでおいしいスイーツになります。

（市原淳弘）

Q120 糖質をとることは問題ないですか？

糖尿病の治療では、食事療法としてご飯やパン、麺（めん）類などの炭水化物に含まれる糖質を制限する「糖質制限」を行うことがあります。糖尿病と高血圧は相関関係があるので、糖質への対応は全く無縁の話ではありません。糖尿病などで血液中にブドウ糖がダブついた状態（高血糖）が続くと、体はそれを薄めてバランスを取ろうとするので血液中に水分が増え、血液量も増えます。すると、心臓が強い力を出さなくてはならなくなり、血圧が上昇します。一方で、高血糖が続くと、血管も傷つきやすくなります。血管が傷つくことによって動脈硬化が進み、これも高血圧の原因になります。

したがって、血圧に影響が出るような高血糖になるほど過剰な糖質をとるのはおすすめできませんが、糖尿病でなければ特別に糖質を制限する必要はないでしょう。

ただし、肥満にならないよう、適正なエネルギー量は守りましょう。厚生労働省の「日本人の食事摂取基準（２０２０年版）」では、1日に必要なエネルギー*は30～49歳の男性で２７００キロカロリー、女性で２０５０キロカロリーで、そのうち50～65％を炭水化物からとることが推奨されています。

（市原淳弘）

＊身体活動レベルII（ふつう：座位中心の仕事だが、職場内での移動や立位での作業・接客等、あるいは通勤・買い物・家事、軽いスポーツ等のいずれかを含む）の場合。

Q121 昔から牛乳は高血圧にいいといわれますが、本当ですか？

牛乳のたんぱく質の大半を占めるカゼイン（乳清たんぱく質）は血圧を上昇させるホルモンを抑え、カリウムは塩分の排出を促し、血圧を下げるのに役立ちます。また、カルシウムには血圧を下げる効果があります。日本人は摂取量が不足しているといわれているカルシウムですが、牛乳を1日に200ミリリットル飲めば、必要量を満たすことができます。牛乳には、腸でのカルシウムの吸収を促すビタミンDも豊富に含まれています。

牛乳に含まれる微量ミネラルには末梢（まつしょう）血管を広げ、血流をよくする働きがあります。乳糖にはカルシウムや鉄分の吸収を助ける働きがあり、腸では善玉菌のエサになります。

これらをすべて、1杯の牛乳からとることができるのです。牛乳は、高血圧の人にはぜひおすすめしたい飲み物です。*牛乳をたくさん飲む人のほうが、飲まない人と比べて、最高血圧が10・4ミリ低いという報告もあります。

（市原淳弘）

＊日本栄養・食糧学会誌 2010. 63(4) 151-159

Q122 牛乳を飲むとおなかを壊すのですがいい方法はないですか？

牛乳を飲むとおなかがゴロゴロして下痢や腹痛を起こす人は、牛乳に含まれる乳糖（ラクトース）を分解するラクターゼという消化酵素が少ない「乳糖不耐症」と考えられます。ラクターゼは赤ちゃんのころは盛んに分泌されますが大人になると少なくなることがあります。その点、ヨーグルトなら、発酵の過程で乳酸菌によって乳糖の大半が分解されていて乳糖が少ないので、牛乳が苦手な人でもとりやすいでしょう。ヨーグルトをとれば、乳酸菌やビフィズス菌の働きで腸内環境も整い、結果的に血圧の上昇を抑える効果が期待できることが報告されています。

1週間に5杯以上のヨーグルトを食べている女性は、高血圧になるリスクが20％少なかったという米国・ハーバード大学医学部の研究もあります。ヨーグルトなどの発酵乳には、乳酸菌が牛乳を発酵する過程で作られるラクトトリペプチドも豊富です。ラクトトリペプチドは、血管をしなやかにし、動脈硬化を防いで血圧を下げるとして今注目の成分です。

（市原淳弘）

Q 123 酢を毎日とっているのに血圧が下がりません。なぜですか？

酢に含まれる酢酸（さくさん）をとると、体内でアセチルＣｏＡという物質に変わります。この物質がクエン酸サイクルというしくみに取り込まれると、血管を拡張する働きを持つアデノシンという物質が産生され、血圧を下げる効果が期待できます。

クエン酸サイクルとは、食事としてとった糖質や、疲労の原因物質として知られる乳酸、体脂肪などを分解してエネルギーに変える体のしくみです。クエン酸サイクルがよく働くようになると基礎代謝が上がり、疲れにくく、内臓脂肪もたまりにくくなるといわれています。

血圧を下げる効果を得るためには、クエン酸サイクルを活発にする必要がありますが、そのためには、**①血液中へ酸素を取り込む**、**②血流をよくする**、**③細胞の代謝を活発にする**という3つがポイントになります。この3つを実現するものは、運動です。つまり、酢をとるとともに適度な運動をすることが、血圧を下げる効果を最大限に得る秘訣（ひけつ）といえます。

（市原淳弘）

Q124 高血圧の人は主食は何を食べるべきですか？

白いご飯には塩分が含まれていないため、そばやうどん、パンなどの主食になるものにも塩分が含まれていないと思っている人が少なくありません。

ところが、これらには多くの塩分が含まれています。１００グラム当たりでいうと、食パンには１・３グラム、そば（乾麺）には２・２グラム、うどん（生）には２・５グラム、中華麺（生）には１・０グラムの塩分が含まれています。特に乾麺は製造過程でグルテン（小麦粉の成分）の乾燥を防ぐために塩をたくさん使います。そのため、小麦粉を使った乾麺ほど塩分が多く含まれています。

塩分がほぼゼロで主食扱いできるものといえば、ご飯と、生そばかスパゲティーくらいです。しかし、それ自体が塩分ゼロでも、例えば炊き込みご飯にしたり、スパゲティーをゆでるときに塩をたくさん使ったり、味の濃いソースと合わせたり、濃いそばつゆをたっぷり使ったりすれば、塩分量ははね上がります。

高血圧の人の主食として適しているのは、やはり白いご飯といえるでしょう。減塩のおかずと合わせて食べるようにしてください。

（渡辺尚彦）

Q125 高血圧の人は朝食で何を食べればいいですか？

バタートーストと卵料理、ソーセージ、サラダ、スープといった洋風の朝食には、塩分がかなり多く含まれています。では、ご飯にみそ汁、焼き魚、納豆、のりや漬物といった和風の朝食はというと、やはり塩分の多いメニューです。

塩分が少ない朝食としておすすめなのはフルーツグラノーラです。グラノーラは、蒸したオーツ麦を押しつぶして乾燥させたものに、麦などの穀物、ナッツなどを加えて甘味と植物油を加え、オーブンで焼いたものです。これにドライフルーツを加えたものがフルーツグラノーラで、素材によってさまざまなバリエーションがあります。

牛乳をかけて食べるのが基本ですが、豆乳でも、ヨーグルトでもおいしく食べることができます。一般的なフルーツグラノーラ1食分に牛乳をかけても、塩分はわずか0・5ムグラで、6枚切りの食パンや、かまぼこ1切れとほぼ同量です。しかも、食物繊維が多く、カリウムやカルシウム、鉄といった栄養素もとることができます。

朝食をフルーツグラノーラにして塩分を0・5ムグラにできれば、1日の減塩がとてもらくになります。忙しい朝、サッと簡単に食べられる点もメリットです。（渡辺尚彦）

Q126 血圧を下げるのにおすすめのおかずはありませんか？

おすすめは、青魚と大豆製品です。イワシ、サバ、サンマなどの青魚には不飽和脂肪酸の一種であるＥＰＡ（エイコサペンタエン酸）、ＤＨＡ（ドコサヘキサエン酸）が豊富に含まれています。ＥＰＡには善玉（ＨＤＬ）コレステロールを増やし、悪玉（ＬＤＬ）コレステロールや中性脂肪を減らしたり、血液をサラサラにして動脈硬化を予防したりする効果が期待できます。ＤＨＡにも動脈硬化の予防・改善効果があるほか、脳細胞や神経細胞を活性化して脳の老化を防ぐといわれています。

大豆と大豆製品は「畑の肉」といわれるほど良質なたんぱく質が豊富で、しかも低カロリーです。大豆に含まれるサポニン、イソフラボンという物質は、悪玉コレステロールと中性脂肪を減らす働きがあります。さらに、血栓（凝固した血液の塊）を防ぐレシチンも含まれ、塩分を排出する働きのあるカリウムなどのミネラルも豊富です。大豆製品は納豆、豆腐、油揚げ、ゆば、豆乳などさまざまなものがあり、いろいろな料理に使えて取り入れやすいという利点もあります。

（島田和幸）

Q127 肉は食べてもいいですか？

人体を作る栄養素であるたんぱく質をとる方法として、魚と並んで肉は優れた食材です。血管もまたたんぱく質でできており、細胞の新陳代謝によって血管を若返らせ、高血圧を予防・改善するためには不可欠な栄養素です。

ただし、魚の脂に比べて、肉の脂は肥満の原因になりやすいといわれています。なるべく脂肪の少ないものを選んで食べるようにしましょう。

日常よく食べられている肉を、脂肪が少なく低カロリーなものから順にいうと、鶏→豚→牛となります。牛や豚の中でもバラ、ロースといった部位よりヒレやモモなど赤身肉のほうが脂肪が少なく、低カロリーです。牛肉ではサシ（網の目状に入る脂肪）の入った霜降り肉は、脂肪が多いのでさけたほうがいいでしょう。鶏肉でいえば、脂肪の少ないのはササミ、ムネ肉で、皮はないほうが脂質は少なくなります。

調理法では、ゆでたり、蒸したりすれば、肉の脂を減らすことができます。また、揚げたり、フライパンでソテーしたりするよりは、網焼きにしたほうが脂を減らすことができます。

（島田和幸）

Q128 間食をとりたいときは、何を食べればいいですか？

ちょっとしたおやつにつまむなら、ピーナッツをおすすめします。ハーバード大学の研究から、ピーナッツには飽和脂肪酸と不飽和脂肪酸がバランスよく含まれており、悪玉（ＬＤＬ）コレステロールを減らし、血管を丈夫にする作用があると明らかになりました。降圧効果を得るためには、無塩のピーナッツを、**渋皮つきで食べること**です。渋皮にはポリフェノールが含まれており、抗酸化作用（活性酸素などの有害物質を無害にする作用）と血圧降下作用があります。ただし、ピーナッツはカロリーが高いので、**１日20粒程度に留め**ましょう。

このほか、**ピスタチオ**にもポリフェノールが含まれ、不飽和脂肪酸やカリウムも豊富で、血圧を下げる効果が期待できます。ピスタチオも無塩のものを選びましょう。

ちょっと甘い物がほしいというときは、**チョコレート**がおすすめです。チョコレートに含まれるカカオポリフェノールにも、抗酸化作用と血圧降下作用があります。カカオの含有量が多く、なるべく甘さ控えめのものを選びましょう。

（渡辺尚彦）

Q 129 油脂のとり方で気をつけるべきことはなんですか？

バターやラードなど、動物性の脂は血液中の悪玉（ＬＤＬ）コレステロールを増やし、動脈硬化を招きます。一般に植物性の油は悪玉コレステロールを減らすのですが、日常よく使われるサラダ油は、少し事情が違います。サラダ油にはオメガ6脂肪酸の一種のリノール酸が多く含まれています。これをとりすぎると、血栓（凝固した血液の塊）を増やしたり、動脈硬化を進行させたりする原因になります。

おすすめの油脂は、アマニ油やエゴマ油など、オメガ3脂肪酸の一種であるα-リノレン酸の多い油です。オメガ3脂肪酸は体内でＥＰＡ（エイコサペンタエン酸）、ＤＨＡ（ドコサヘキサエン酸）という不飽和脂肪酸に変換され、血液中の脂肪を減らし、血栓ができるのを防ぎます。また、血管を拡張する働きもあるため、高血圧の予防・改善には最適な油です。**アマニ油、エゴマ油などを1日に小さじ1杯とれば、**オメガ3脂肪酸の必要量を十分とることができます。ただし、オメガ3脂肪酸は熱に弱いので、**加熱しないでとるようにしましょう。**

（渡辺尚彦）

Q130 体型維持にプロテインをとっていますが、問題ないですか？

たんぱく質は、血液や筋肉のもととなる重要な栄養素です。しかし、糖質や脂質とは違い、たんぱく質を分解する過程では老廃物が生まれます。老廃物は人体に有害ですが、腎臓（じんぞう）でろ過されて体外へ排出されるため、健康を保つことができます。

ところが、あまり運動をせずにプロテイン（たんぱく質）をたくさんとると、老廃物をたくさんろ過しなければならなくなり、腎臓に負担がかかり、しだいに疲れてきてしまいます。腎臓は塩分を排泄（はいせつ）する働きも担っていますが、負担が増えて腎臓が疲れてくると、その能力が落ちてしまうため、高血圧の人は要注意です。

なお、ダンベルなどを使って負荷をかけて行う筋力トレーニングで、筋肉をつける効果を高めるためにプロテインをとることが多いですが、筋力トレーニングは無酸素運動（短時間に強い力を発揮する運動）で行われることが多く、血圧が急激に上昇しやすい運動です。高血圧の人には、ジョギングやウォーキングのような有酸素運動のほうがおすすめです。

（市原淳弘）

Q131 夏は熱中症予防のためにスポーツドリンクを飲んでいます。問題ないですか？

スポーツドリンクに含まれる塩分は意外に多く、500ミリリットルで平均0・5グラムです。熱中症対策で人気の経口補水液はもっと多く、500ミリリットルに約1・5グラムの塩分が含まれています。夏には熱中症予防に水分補給が呼びかけられることもあり、スポーツドリンクや経口補水液を常飲する人をよく見かけますが、とりすぎれば血圧を上げる原因になりかねません。スポーツドリンクの中には高果糖コーンシロップ（果糖ブドウ糖液糖。175ページ参照）を使用したものも多く、高血圧の人はさけたほうがいいでしょう。

そもそもスポーツドリンクは、運動で汗をかいて失われた水分や塩分、電解質（カリウム、カルシウム、マグネシウムなど）を補うための飲料です。経口補水液は、主に軽度～中等度の脱水状態になった人のための飲料です。

運動をしたわけではなく、暑さで汗をかいた程度なら、特別な飲料を飲む必要はありません。汗をかいて失われた水分は、水やお茶、麦茶などを多めに飲んで補い、塩分や電解質は、食事からとる分で十分まかなえます。

（市原淳弘）

第10章

運動についての疑問9

Q 132
高血圧を下げるには、1日にどのくらい歩けばいいですか？

ウォーキングは、高血圧の人におすすめの有酸素運動です。歩くと全身の血流がよくなることは実感できると思いますが、そのとき、実は血管の中でもいいことが起こっています。流れがスムーズになった血液によって、血管の内皮細胞に、表面がこすられるような力「ずり応力」が加わります。この力によって、血管を拡張して血圧を下げる作用のあるＮＯ（一酸化窒素。第11章参照）が産生され、動脈硬化の予防につながるのです。

それまで運動習慣のなかった人が、高血圧の改善のために運動療法を始め、続けていくには工夫が必要です。１日１万歩といった目標を示すのは、続けるための工夫の一つでもあります。

しかし、実際は、一律に「１万歩歩きましょう」といっても、ひざが痛くてそんなに歩けない人もいれば、屋内で運動するほうがいいという人もいます。高齢者では、１日８０００歩程度歩いた場合が、各種の病気の発症が最も少なかったという研究・

調査結果もあります。

要は、自分に合った方法、レベルの運動を、自分で試しながら見つけるのが一番です。降圧をめざすウォーキングの場合、1日8000～1万歩、あるいは1日30分程度が目安となりますが、自分が続けられるペースで、自分に合う運動強度（197ページ参照）で行い、まだできそうだと思ったら増やしていけばいいでしょう。

目標にしている歩数を一気に歩く必要はありません。たとえウォーキングの歩数や時間が目標より少なくても、仕事や家事などで歩き回っているなら、それも運動のうちです。通勤のときにわざと遠回りをするとか、少し遠い店まで歩いて買い物に行くといった「ついでウォーキング」もおすすめです。ちょっと速歩で数分歩いた後に、ゆっくり数分歩くか、ベンチなどに座って数分休み、また速歩で歩くという「こま切れウォーキング」でかまいません。高血圧の改善のための運動は、1週間に1度だけ集中的に行うよりは、少しずつでも毎日続けるほうが効果的だといわれています。

ひざや腰の痛みなどがあって長く歩けない人におすすめなのは、水中ウォーキングです。足の立つ深さのプールでゆっくり歩く方法で、水の浮力があるため、足腰に負担がかかりにくい反面、水の抵抗があって消費カロリーは意外に多いというメリットがあります。

（市原淳弘）

Q 133

スロージョギングはどうですか？

スロージョギングは、ごくゆっくりした速度で走るジョギングで、体力を消耗せずにらくに走れる方法として考案されたものです。心臓への負担が少なく、脳心血管病のリスクが高い高血圧の予防・改善にぴったりな運動法といえます。

ジョギングといっても、一般的なジョギングとは走り方が異なります。最初は10cmくらいの歩幅で走るつもりで歩幅を小さく、背すじをまっすぐに伸ばします。肩の力を抜いて、腕振りや呼吸は特に意識せず自然に行い、あごを軽く上げ、目線は遠方を見るようにします。着地にも特徴があり、一般的なジョギングはかかとから着地しますが、スロージョギングは足指のつけ根で着地します。衝撃が少なく、ひざに負担がかかりにくい着地法です。踏み出すときも地面を強く蹴らないため、らくに走りつづけることができます。

初心者は、「1分走ったら30秒歩く」をくり返し、慣れてきたら徐々に距離を延ばしていきます。走るときは決して速く走らず、隣の人と笑って話せる程度のスローなペースを維持すること。速く走ると筋グリコーゲン（糖）がエネルギー源として使わ

スロージョギングのやり方

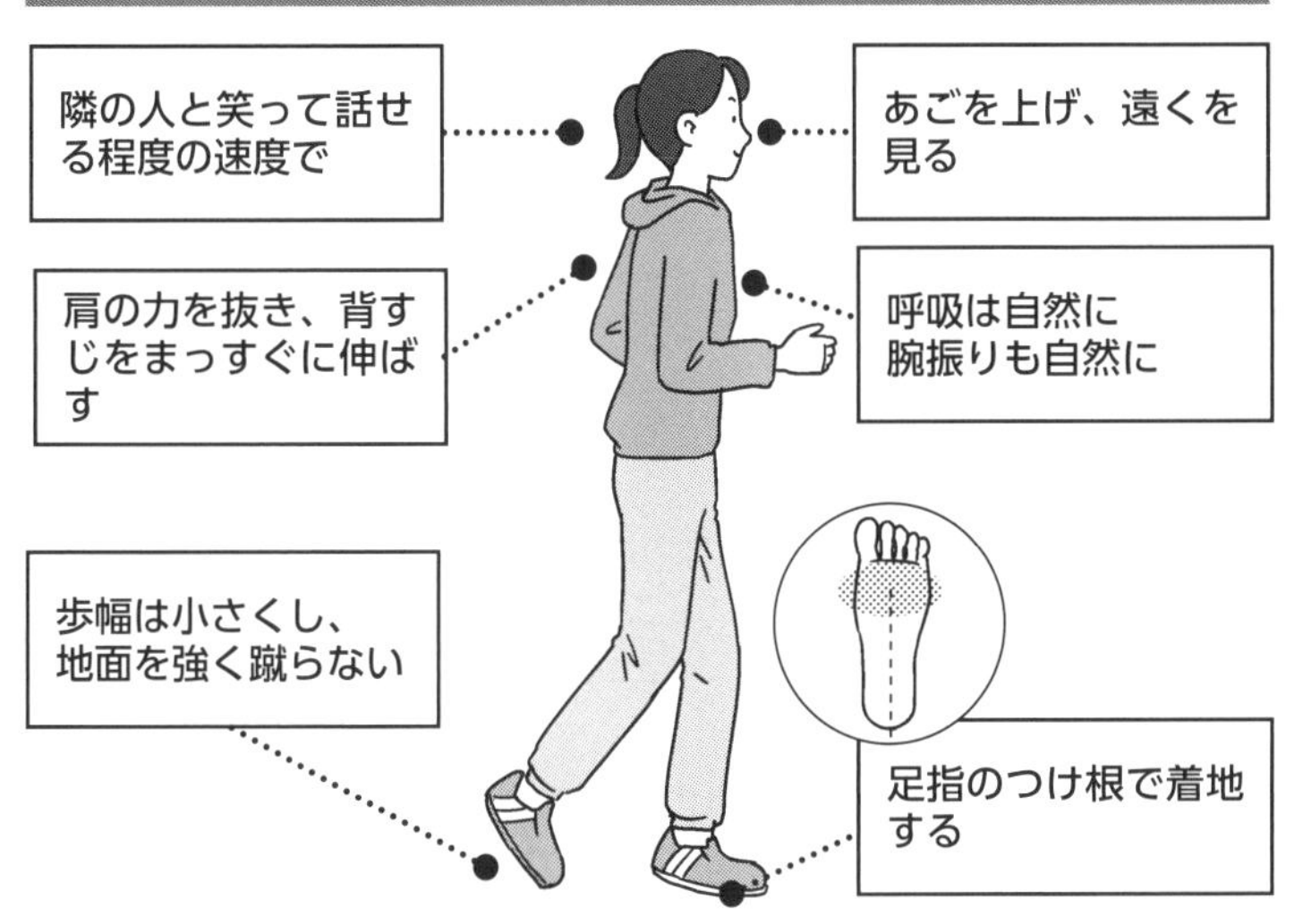

（日本スロージョギング協会「『誰でもできる！今すぐできる！スロージョギング』より引用改変）

れる過程で、疲労が蓄積していきます。疲労がたまらない程度の速度を維持しながらゆっくり走れば、らくに走りつづけることができるのです。

スロージョギングは、運動に慣れていない人や高齢者でも無理なく続けられるだけでなく、太ももやお尻（しり）の大きな筋肉を使うため、ウォーキングの2倍もエネルギーを消費するとされています。

そのため、内臓脂肪を減らすのにも有効で、同時に血圧を下げる顕著な効果があることも研究により明らかにされています。

最初は毎日20分以上を目標に続けてみましょう。（市原淳弘）

Q 134 雨が降ってウォーキングができません。どんな運動がいいですか？

体の骨格を動かす筋肉（骨格筋）の量が多いと、食事でとった脂質をエネルギーとして消費しやすくなります。また、糖質をとったときも、筋肉量が多いほど、効率よく糖質をエネルギーに変えることができます。体内に糖質が取り込まれて血糖値が上昇すると、すい臓からインスリンというホルモンが分泌（ぶんぴつ）されて筋肉の細胞に糖質を運び、筋肉がエネルギーに変換してくれるのです。筋力トレーニングで筋肉を増やせば、肥満を予防でき、高血圧の改善にも役立ちます。

ただし、短時間に強い力を出すようなきつい筋トレは、高血圧の人は危険を伴うことが多く、おすすめできません。そこで、テレビを見ながらでもできるゆるい筋トレ「腕振りステップ運動」を紹介しましょう（図ページ参照）。

雨が降ったときや、時間が取れなかったときなど、室内で気軽に行うことができるので、覚えておくと便利です。自然に呼吸しながら行う有酸素運動ですから、血流をよくし、血圧を下げる効果が期待できます。

（島田和幸）

腕振りステップ運動のやり方

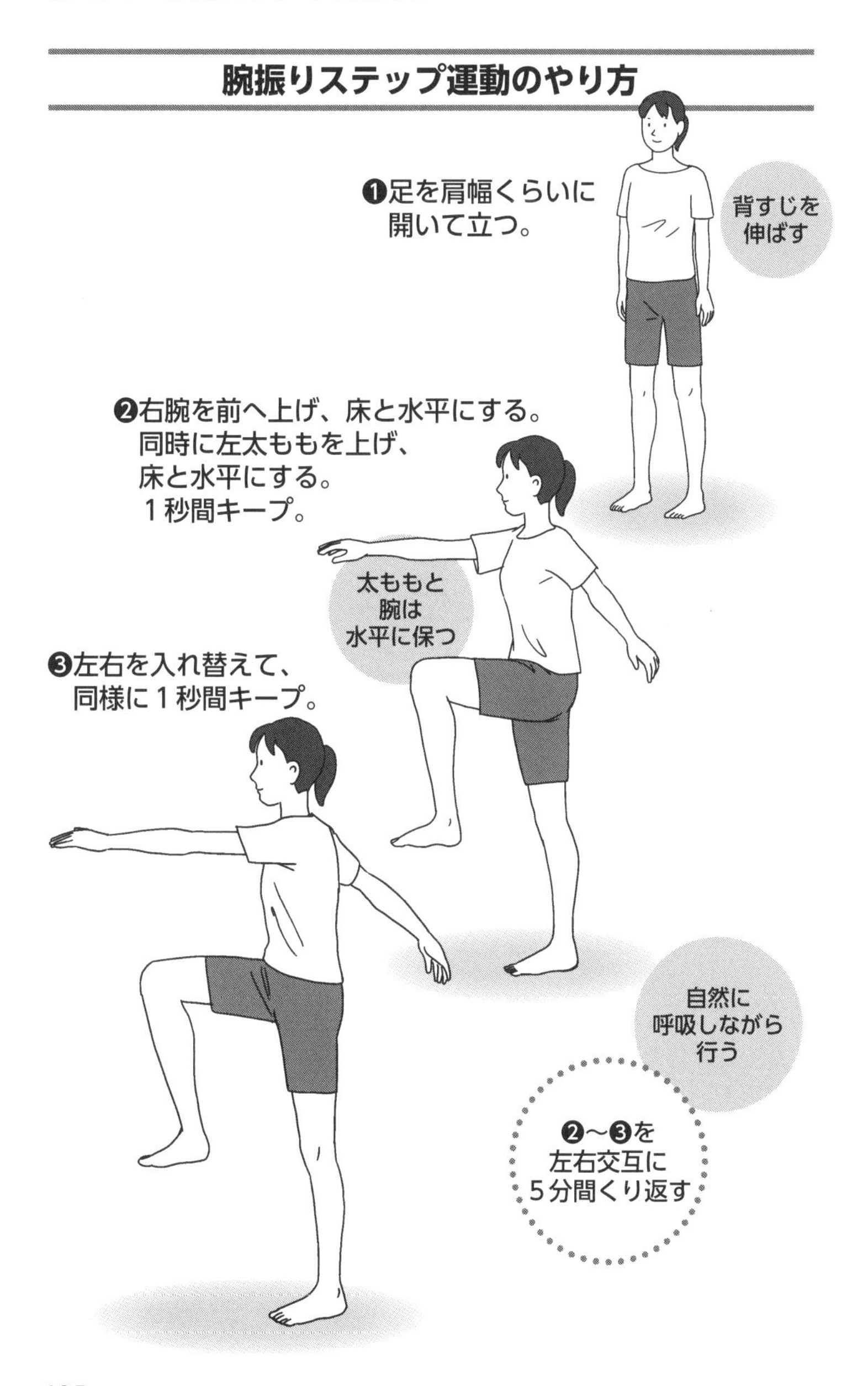

Q135 筋トレはやっても大丈夫ですか?

高血圧の人の運動としては、ウォーキングやスロージョギングなどの軽～中等度の有酸素運動がいいとされています。有酸素運動は、呼吸によって体内に取り込んだ酸素を使って、脂肪などをエネルギーに変える全身運動のことです。血管が拡張して血流がよくなるため、血圧を下げる効果が高いのです。

これに対し、トレーニングマシンやダンベルなどの負荷をかけて行う筋力トレーニングは、無酸素運動といわれます。無酸素とは「呼吸をしない」という意味ではなく、瞬発的に筋肉の大きな力を出すときに酸素を使わず、筋グリコーゲン（糖）をエネルギー源とすることからこう呼ばれています。

高血圧の人は動脈硬化が進んでいることが多く、筋力トレーニングなどの無酸素運動で大きな力を出すと、急激に血圧が上昇し、脳卒中や心筋梗塞（こうそく）を誘発する危険性が高まります。ハードな筋トレはさけたほうがいいでしょう。

どうしても筋トレをやりたい人は、事前に医師に相談のうえ、血圧を正常値に下げてから行いましょう。

（市原淳弘）

Q136 運動は1日にどのくらいやればいいですか？

高血圧の人の運動療法は、時間にして毎日30分以上、または週に180分以上が目標です。運動の強度は、その人の最大運動能力の5割程度の、中等度の運動（少し息が弾むくらいの運動）がいいとされています。運動の強度は脈拍数を目安にします（目安になる脈拍数の計算方法は199ページ参照）。ただし、これは運動に慣れてきた場合の目標です。最初から頑張りすぎて三日坊主にならないよう、体操などの軽い運動を短時間するところから始め、少しずつ増やして、長く続けていきましょう。

運動をすると一時的に血圧は上がりますが、適切な運動を持続して行うと血管内皮の機能が改善し、筋肉に酸素や栄養を運ぶために血管が広がったり、血圧を上げる働きのある交感神経（心身を興奮させる神経）の緊張が緩和されたりして、血圧が下がっていきます。また、肥満やストレスが改善することも、運動効果の一つです。

高血圧の人が習慣的に有酸素運動（軽い負荷で一定時間持続して行う運動）をすると、最高血圧を8ミリ以上、最低血圧を5ミリ以上下げる効果があるといわれています。

（苅尾七臣）

Q137 運動をやってはいけない人はいますか？

血圧を下げるために運動療法は効果的ですが、次の条件に当てはまる人は、運動を始める前に医師に相談する必要があります。

①**重度の高血圧**……180ﾐﾘ／110ﾐﾘ以上の重度の高血圧の人は、運動によって血圧が上昇すると、脳卒中や心筋梗塞（こうそく）など脳心血管病の発作が起こる危険性があり、運動が禁止されることもあります。特に危険なのは、短距離走や、バーベルで負荷をかける筋力トレーニングなど、短時間に強い力を出す運動です。これらの運動では、血圧が安静時に比べて100ﾐﾘ近く上昇することもあります。普段の生活で、階段を駆け上がったり、トイレでいきんだりするのも、同じ理由で危険です。

②**合併症がある**……糖尿病、慢性腎臓（じんぞう）病、脳卒中、狭心症、心筋梗塞、不整脈、網膜症、眼底出血など、高血圧以外の病気がある人は、症状が悪化する場合もあります。事前に医師の診断が必要です。

③**その他**……腰やひざの関節炎がある人は運動で悪化する可能性もあります。熱があるなど、体調がすぐれないときも運動は控えましょう。

（苅尾七臣）

Q 138 自分に合う運動強度はどのように導き出せばいいですか？

自分に合う運動の強度は、脈拍数から計算できます。自分の年齢を2で割った数字を、138から引いてみましょう。例えば50歳の人なら、138から25を引いて、113となります。1分間の脈拍数がだいたいその数字になるようにすれば、自分に合った強度で運動することができます。

運動中の脈拍は、安全のため、いったん立ち止まって測ります。手首の内側、親指のつけ根に近いところに、反対側の人さし指、中指、薬指の指先を当て、時計の秒針を見ながら脈を数えます（反対側の腕に腕時計を着けておくと秒針を見やすい）。1分間測らなくても、15秒間測って4倍してもかまいません。自動的に運動中の脈拍が測れる、腕時計タイプのスマートウォッチを利用するのもいいでしょう。（苅尾七臣）

適切な運動強度（脈拍数）の計算法

適切な運動強度（脈拍数）

[　　　] ＝138 －（年齢÷ 2）

回／1 分間

【例】50歳なら　138 －（50÷2）で 113回／1 分間
75歳なら　138 －（75÷2）で 100.5回／1分間

Q 139

運動はいつ行うのがいいですか？

高血圧の運動療法は、無理なく、楽しみながらできるよう工夫をすることが、長続きするコツです。自分の生活のペースに合わせて、1週間のうちで無理なくできる日数や、時間帯、運動の種類を選ぶようにします。

まず、1週間の配分としては「平日は忙しいから週末にまとめて」などと考えがちですが、週に1回、1日中運動をするよりは、1回に15分でも、毎日あるいは1日おきに、こまめに運動したほうが効果的です。運動をして血管が広がっても、1週間運動を休むうちに、またもとに戻ってしまうからです。

1日のうちでは、起床直後は血圧が上昇するので、より血圧を上げる運動はさけたほうがいいでしょう。また、夜は、交感神経（心身を興奮させる神経）が活発になって寝つきが悪くなる恐れもあり、就寝前2時間は静かに過ごしたいところです。したがって、**昼前後から夕方にかけての時間帯**が、運動に適しているといえます。なお、以前は食後すぐには運動しないほうがいいといわれていましたが、現在では、血糖が上昇しはじめる食後30分以内に運動を始めるほうがいいとされています。（苅尾七臣）

Q140 ストレッチもやったほうがいいですか？

ストレッチすると血流がよくなることで、血管が拡張して血圧を下げる作用のあるNO（一酸化窒素。第11章参照）が産生され、血圧を下げる効果があります。定期的に行えば、動脈硬化を予防することができます。おすすめはひざのストレッチと、首のこりをほぐすストレッチです。

体の関節の中でもひざ関節を動かすと、足の大きな筋肉を動かすことができます。1分間ストレッチをした後の血流量を調べた試験では、手首、ひじ、足首をストレッチしたときと比べて、ひざを動かしたときは格段にNOの産生が多かったという報告があります。また、首の血流をよくすることで、血圧調節中枢のある延髄の血液循環がよくなり、降圧効果が期待できます。

次ページで説明しているストレッチは、休憩でイスに座ったとき、エレベーターに乗ったときなど、ちょっとした空き時間にもできます。体が温まり、筋肉が伸びやすくなっているお風呂上がりに行うのもいいでしょう。首のストレッチは、入浴のさい、ぬるめのお湯（38～40度C）で半身浴をしながら行うと効果的です。

（市原淳弘）

イスに腰かけて行うひざのストレッチ

左右の足で行って1セット

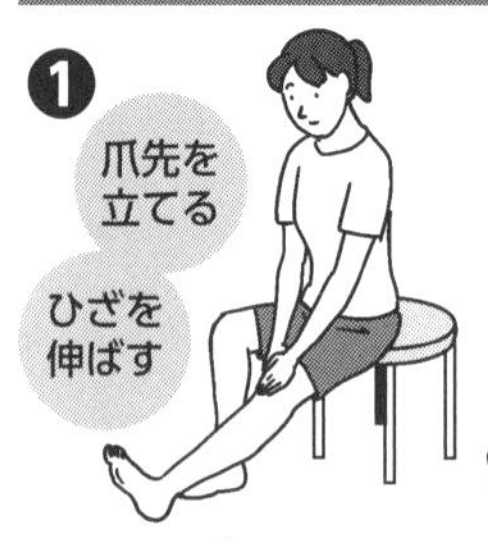

イスに浅く腰かけ、片足を伸ばす

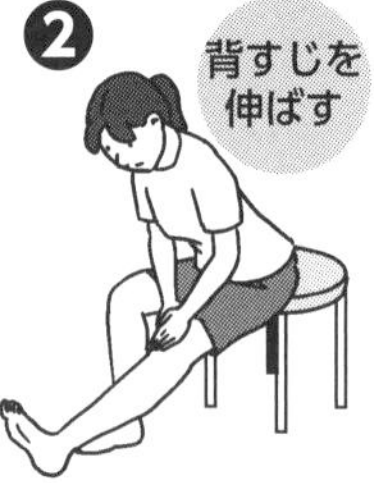

両手でひざを押さえ、ゆっくりとひざ裏を伸ばし、20秒キープ。

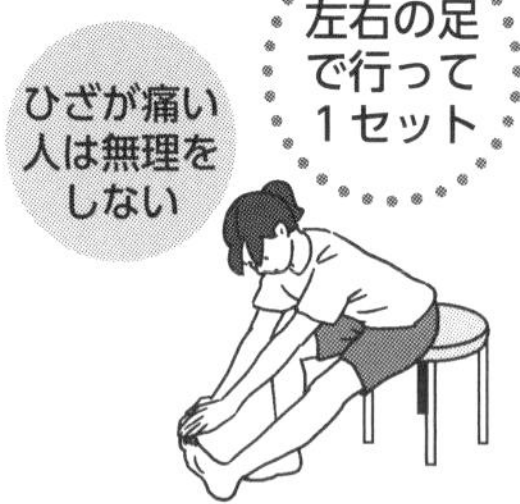

ひざが痛い人は無理をしない

余裕のある人は両手を爪先まで伸ばしてもいい。

立って行うひざのストレッチ

左右の足で行って1セット

壁に向かって姿勢よく立つ。

❷
背すじは伸ばしたまま

足を前後に大きく開き、両手を伸ばして壁につく。

❸
無理のない範囲でできるだけ伸ばす

息を吐きながら腕を曲げて壁を押し、ひざ裏を伸ばす。20秒キープ。

いつでもどこでも首のストレッチ

❶→❸を1回行って1セット

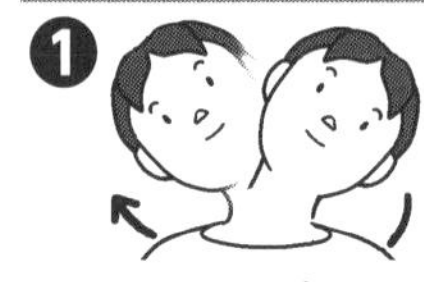

ゆっくり大きく首を回す。左右5回ずつ行う。

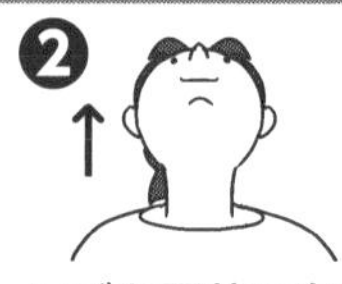

あごを天井に向け、首の前を伸ばす。10秒キープ。

あごを引いて首の後ろを伸ばす。10秒キープ。

第11章

セルフケアについての疑問10

Q141 最近、高血圧のセルフケアでよく聞く「NO」ってなんですか？

NO（エヌオー）は一酸化窒素（ちっそ）のことで、大気中に放出されると光化学スモッグや酸性雨の原因になりますが、実は体内でも作られており、体内では有害どころか、血管を柔軟にして血圧を下げる、すばらしい働きをします。NOの血管に対する効果の研究は、ノーベル医学・生理学賞を受賞しています。

NOは、血管以外にもさまざまな臓器で作られており、働く場所によってその作用が異なります。

①血管を拡張する……高血圧に関係の深い働きです。血管は外側から順に外膜、中膜、内膜という3層構造になっています。血流が速くなると、一番内側の内膜にある内皮細胞には「ずり応力」（血流で表面がこすられるような力）が加わり、この刺激によって産生酵素が働き、NOが合成されます。NOは中膜の平滑（へいかつ）筋という筋肉に働きかけて緊張をゆるめ、その結果、血管が広がって血流がスムーズになり、血圧が下がります。

②血圧・血流の調整……血小板が凝集するのを抑制することによって血栓（血液の塊）の生成を阻害して血流をよくし、血圧を調整します。

③情報を伝達する……中枢神経系では、神経細胞間の情報伝達物質として働きます。脳から体の各部位へ、また、体から脳へと情報を伝える役割を果たしています。

④炎症を抑制する……なんらかの原因で体に炎症が起こると、ＮＯを作る酵素が働き、炎症を抑制します。

NOの5つの働き

血管を広げる

血圧・血流の調整

神経情報を伝える

炎症を抑制する

免疫力を強化する

⑤免疫力を強化する……病原体などの異物と戦うマクロファージ（白血球の一種）からＮＯが産生され、病原菌やウイルスを死滅させます。

このように、ＮＯは人体にとっては大変有用な働きをする物質なのです。特に血圧にかんしては、*　**ＮＯが増えることで血圧が最大で14％低下し、抗炎症効果が増強した**というデータもあります。

なお、血管を柔軟にして広げる働きは、ＮＯの量に左右されます。不足すると血管は硬く、狭くなり、動脈硬化を招きます。

（市原淳弘）

＊Kyle Raubenheimer, et al. Acute effects of nitrate-rich beetroot juice on blood pressure, hemostasis and vascular inflammation markers in healthy older adults: a randomized, placebo-controlled crossover study. Nutrients, 9(11):1270.(2017)

Q142 NOはそんなに簡単に増やせるのですか？

加齢によって血管が老化するとNO（エヌオー）はしだいに減少していきます。20代を100％とすると、40代では約50％になってしまいます。しかし、中高年だからとあきらめる必要はありません。NOは血流が速くなることで生まれます。したがって、血流をよくすることを心がければ、自ら作り出すNOの量をらくに増やすことができます。

鼻から息を深く吸うと脳への酸素供給量が増えて血流がよくなります。また、首ネコ背（首が前に出るネコ背）。スマートフォン操作などでなりやすい）にならないよう姿勢を正しくすれば、血圧調節中枢のある延髄（えんずい）の血液循環がよくなると同時に胸が広って、肺からのNOの産生を助けます。座るときは、足を組んで腰かけるのは血流を妨げるのでさけてください。また、座りっぱなしにならないよう注意しましょう。

1日のうち朝・昼・夜の各1分を、深呼吸や、ストレッチなどの軽い運動に当てれば、NOを増やすことができます。また、NOの原料であるアミノ酸を含むたんぱく質が豊富な食品を、抗酸化物質（ビタミンC、ビタミンE、ポリフェノールなど）を含む食品といっしょに、バランスよくとることも大切です。

（市原淳弘）

Q143 NOが増える呼吸法があるのですか？ぜひ教えてください。

NO（エヌオー）を増やすには、鼻呼吸がおすすめです。口から息を吸うと、吸った空気の一部が消化管のほうへ行ってしまい、体に取り込む酸素の量が減ってしまいます。2分間の酸素供給量で比べると、鼻呼吸のほうが口呼吸よりも1・5倍酸素供給量が多いというデータがあります。また、鼻呼吸をすると、NOが口呼吸の5倍増えるという報告もあります。

鼻づまりなどで口呼吸のクセがついていると、眠っている間にも口呼吸になっていることがあります。睡眠中の口呼吸は、のどの奥へ舌が落ちやすく、睡眠時無呼吸症候群（58ページの表参照）を招き、血圧を上げる原因ともなります。ふだんから意識的に鼻呼吸をして、鼻の通りをよくしておきましょう。

一方、浅く早い呼吸は交感神経（心身を興奮させる働きのある神経）を働かせ、血圧を上昇させます。深くゆっくりとした深呼吸は副交感神経（心身を鎮める働きのある神経）を活性化し、NOが増えます。つまり、NOを増やすには「鼻から吸う深呼吸」

がベストということになります。
鼻呼吸の効果をより高める呼吸法として、ヨガで行われる片鼻呼吸法があります。ストレスや疲れを感じたとき、ちょっと休憩するときに行えば、自律神経を整えてNOの産生を促し、血圧を下げる効果が期待できます。

（市原淳弘）

鼻呼吸のやり方

❷〜❺を
2〜3回
くり返す。

❶イスに腰かけ、目を閉じてリラックスする。

❷右手の親指で右鼻を押さえ、左鼻からゆっくりと息を吸う。

❸薬指で左鼻を押さえて親指を離し、右鼻からゆっくりと息を吐く。

❹左鼻を押さえたまま、右鼻からゆっくりと息を吸う。

❺親指で右鼻を押さえて薬指を離し、左鼻からゆっくりと息を吐く。

Q144 NOを増やすには、どんな運動がいいですか？

大量の血液が循環している大きな筋肉を動かす運動をすれば、体中に血液を効率よく巡らせることができ、NO（エヌオー）を効率的に増やすことができます。

人体の筋肉を体積の大きな順に並べると、最も大きいのが太ももの前面にある大腿四頭筋（だいたいしとうきん）、次いで、お尻（しり）にある大殿筋、太ももの後ろ側にあるハムストリングスという順になります。ふくらはぎの筋肉・下腿三頭筋も、比較的大きな筋肉です。これらはすべて下半身にあります。つまり、大きな筋肉を動かすには、ウォーキングやスロージョギング、サイクリングなど、下半身を動かす運動がおすすめです。

さらに、連続して運動せず、途中に休憩を入れて体を休めましょう。休憩を入れながら運動したほう

下半身の主な大きな筋肉

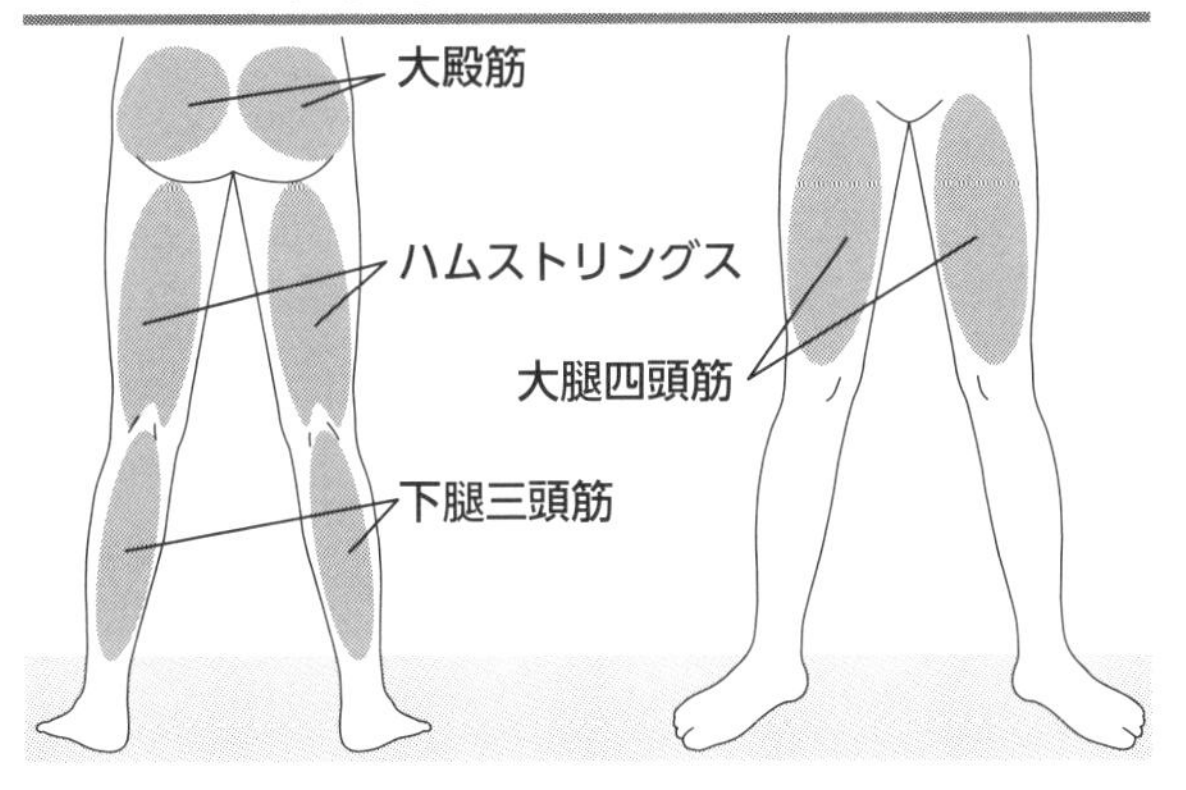

が、ＮＯの分泌（ぶんぴつ）が促され、血管を広げる反応が2倍になるというデータもあります。高血圧の人は心拍数が上がりすぎると脳出血などを起こす危険もあります。休憩を挟むことで、安全に運動することができます。（市原淳弘）

Q145 正座でNOが増えるって本当ですか？

最近はイスでの生活をする人が増え、正座をすることが少なくなりました。正座をすると足がしびれますが、実は、この「しびれ」が、NO（エヌオー）を増やします。

足を折りたたんでかかとにお尻（しり）をのせる正座を1～3分続けると、足がしびれてきます。これは体重によって神経が圧迫されているためで、血管も同じように圧迫され血流が悪くなっている状態です。この後に立ち上がると、足の太い動脈に一気に血液が流れ、NOが増えるのです。また、ひざ関節の曲げ伸ばしで下半身の大きな筋肉を動かすことも、NOをさらに増やすことにつながります。

ただし、ずっと正座しつづけていては効果がありません。

①ひざを折りたたみ、かかとの上にお尻をのせて背すじを伸ばし、1分間正座をする。

②ゆっくりと立ち上がり、30秒間足踏みする。ふらつく場合はイスや壁などにつかまり、体を支える。

①～②の動作を3回くらいくり返しましょう。なお、ひざに痛みのある人は、無理に行わないようにしてください。

（市原淳弘）

Q146 NOを増やしてくれる食材はないですか？

NO（エヌオー）は、アミノ酸の一種であるシトルリンとアルギニンから作られます。

シトルリンはスイカ、キュウリなどウリ科の果物や野菜、アルギニンは、たんぱく質の多い赤身の肉や鶏肉、**大豆（大豆製品）**に豊富に含まれ、豆、ナッツ類にも含まれています。これらの食品を食事として体内に取り込むと、シトルリンやアルギニンが酸素と結びついて、NOが作られます。毎日の食事で、ウリ科の果物や野菜とともに良質なたんぱく質をとるようにしましょう。

ポリフェノールをいっしょにとるのもおすすめです。ポリフェノールには、アルギニンが酸素と結びついてNO産生を促す酵素（NOS（エヌオーエス）＝一酸化窒素（ちっそ）合成酵素）を活性化する作用があります。

シトルリン・アルギニンが豊富な食品例

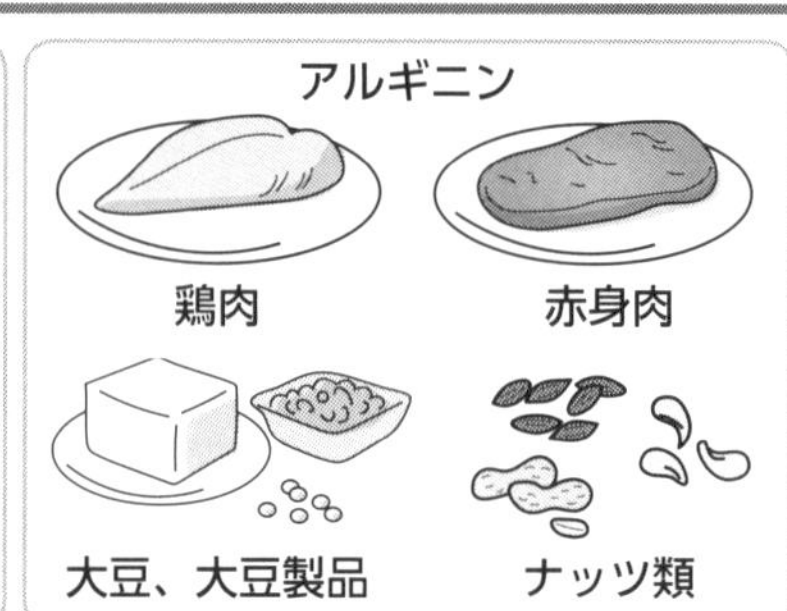

ポリフェノールは植物の苦みや色素の成分で、抗酸化作用（攻撃力の強い活性酸素などの有害物質を無害にする作用）が強い物質です。ポリフェノールが豊富なものには、赤ワイン、ブルーベリー、ナスなど紫色の食品が有名ですが、緑茶や紅茶に含まれるカテキンもポリフェノールの一種です。そのほか、チョコレート、ソバ、タマネギ、大豆、ショウガにもポリフェノールが豊富に含まれています。

抗酸化作用のある物質は、NOを保護する働きもあります。ポリフェノールのほか、野菜や果物に多く含まれるビタミンC、植物油やナッツ類に多く含まれるビタミンEにも抗酸化作用があるので、併せてとるようにしましょう。

ただし、このような食品をとるだけでNOが増えるわけではなく、適度な運動を行うことが必要です。あまり運動をせずにたんぱく質をたくさんとると、体内でたんぱく質を分解したときにできる老廃物が増え、それを処理するために腎臓（じんぞう）に負担がかかり、腎臓の塩分排出機能が低下してしまうことがあります。

（市原淳弘）

ポリフェノールが豊富な食品例

Q147 高い血圧がすぐ下がるような特効ツボはないですか？

降圧効果の高いツボといえば、合谷（ごうこく）です。個人差はありますが、高血圧の人が合谷を5分ほど指圧すると、約10分後には血圧がスーッと20～30ミリくらい下がることもよくあります。しかも、その効果は長持ち。1回指圧すれば4時間くらいは効果が続くので、1日3回押すだけで、日中の血圧を低く保ちやすくなるでしょう。深呼吸をしても同じように血圧は下がりますが、普通の呼吸に戻って数分もたてばもとに戻るので、合谷の指圧の効果の長さがわかると思います。

実際、1回に左右各10分の合谷の指圧を、1日3回、2ヵ月間行いながら24時間血圧測定をした患者さんで、最高血圧が安定的に4・3ミリ下がったという例があります。

合谷の指圧で血圧が下がる理由は、血管が拡張し、全身の血流がよくなるからです。合谷を指圧しているとき、患者さんは「体がポカポカして気持ちいい」といいます。実際、レーザー体温計で体温を測定すると、体温が約1度C上昇していることがわかり、血流がよくなっていることは明らかです。

（渡辺尚彦）

降圧の特効ツボ「合谷」の押し方

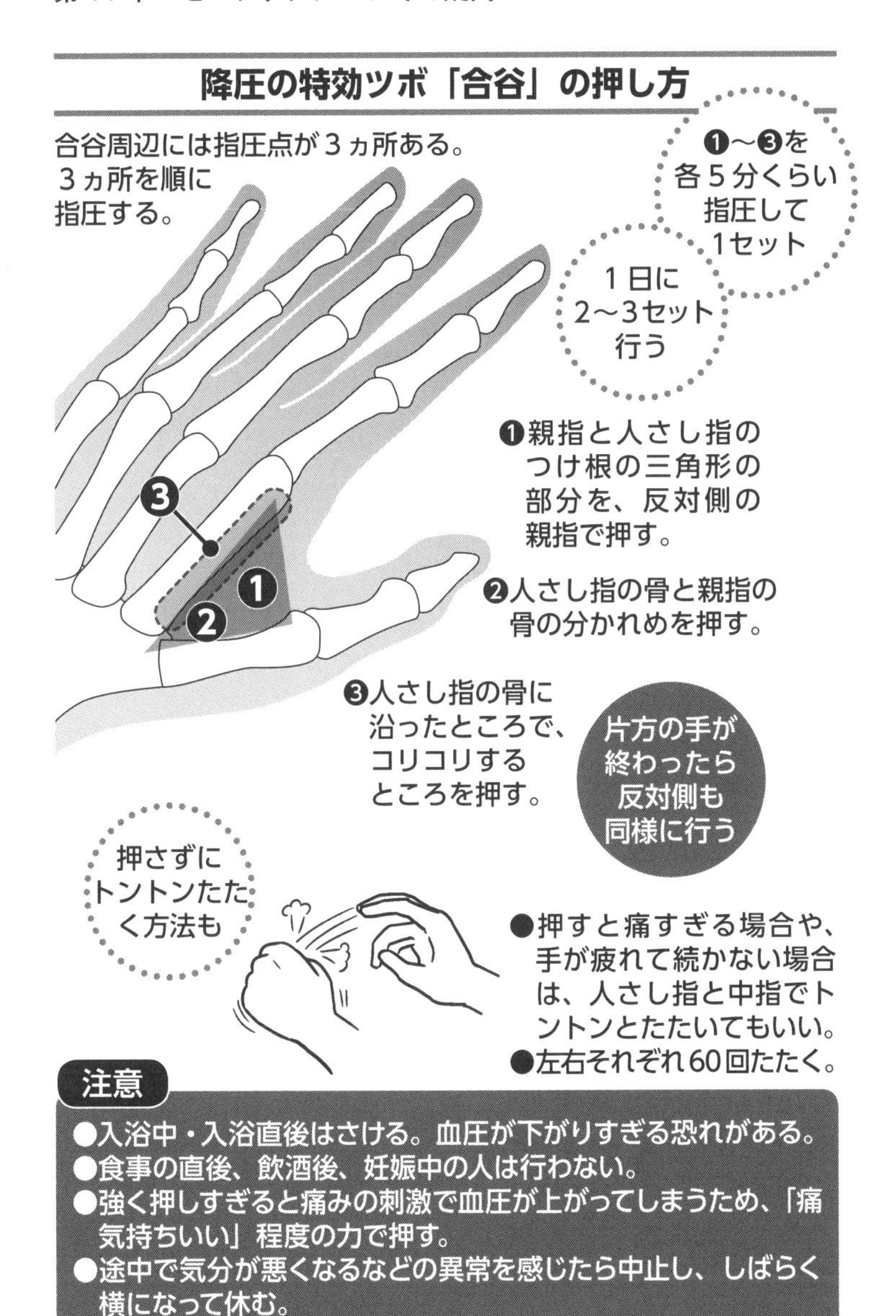

注意

- 入浴中・入浴直後はさける。血圧が下がりすぎる恐れがある。
- 食事の直後、飲酒後、妊娠中の人は行わない。
- 強く押しすぎると痛みの刺激で血圧が上がってしまうため、「痛気持ちいい」程度の力で押す。
- 途中で気分が悪くなるなどの異常を感じたら中止し、しばらく横になって休む。

Q148 高血圧の人におすすめの「血管若返り体操」があると聞きました。くわしく教えてください。

高血圧の大きな原因として動脈硬化があります。動脈が弾力性や柔軟性を失った状態で、動脈硬化が進んで悪玉（ＬＤＬ）コレステロールや中性脂肪がたまると、また血圧が高くなるという悪循環になります。動脈硬化は加齢とともに進みますが、若い人でも、運動不足やストレス、バランスの悪い食事などが原因で、動脈硬化を起こしている人はいます。実際の年齢＝血管年齢とは限らないのです。

血管年齢を若々しく保つ秘訣（ひけつ）は、食事に気をつけて血液をサラサラに保つとともに、血管を柔軟にすることです。そこで私は、誰でも簡単にできて血管を柔軟にする「血管若返り体操」を考案しました。

かかとを上げ下げしてふくらはぎの筋肉を使ったり、肩を動かしたりすることで、全身の血流がアップします。また、血管の柔軟性を保つには血管を縦に伸ばすことが有効ですが、肩を上下させると胴体が伸び、体の中央を通る太い動脈のストレッチにもなります。次ジペーからの図を参考にして、ぜひ試してみてください。

（高沢謙二）

血管若返り体操ー1

朝と晩、基本のポーズから始めて、
❶ → ❷ → ❸ の3ポーズを各1セット行う。

1 基本のポーズ　下半身から全身まで血流アップ。

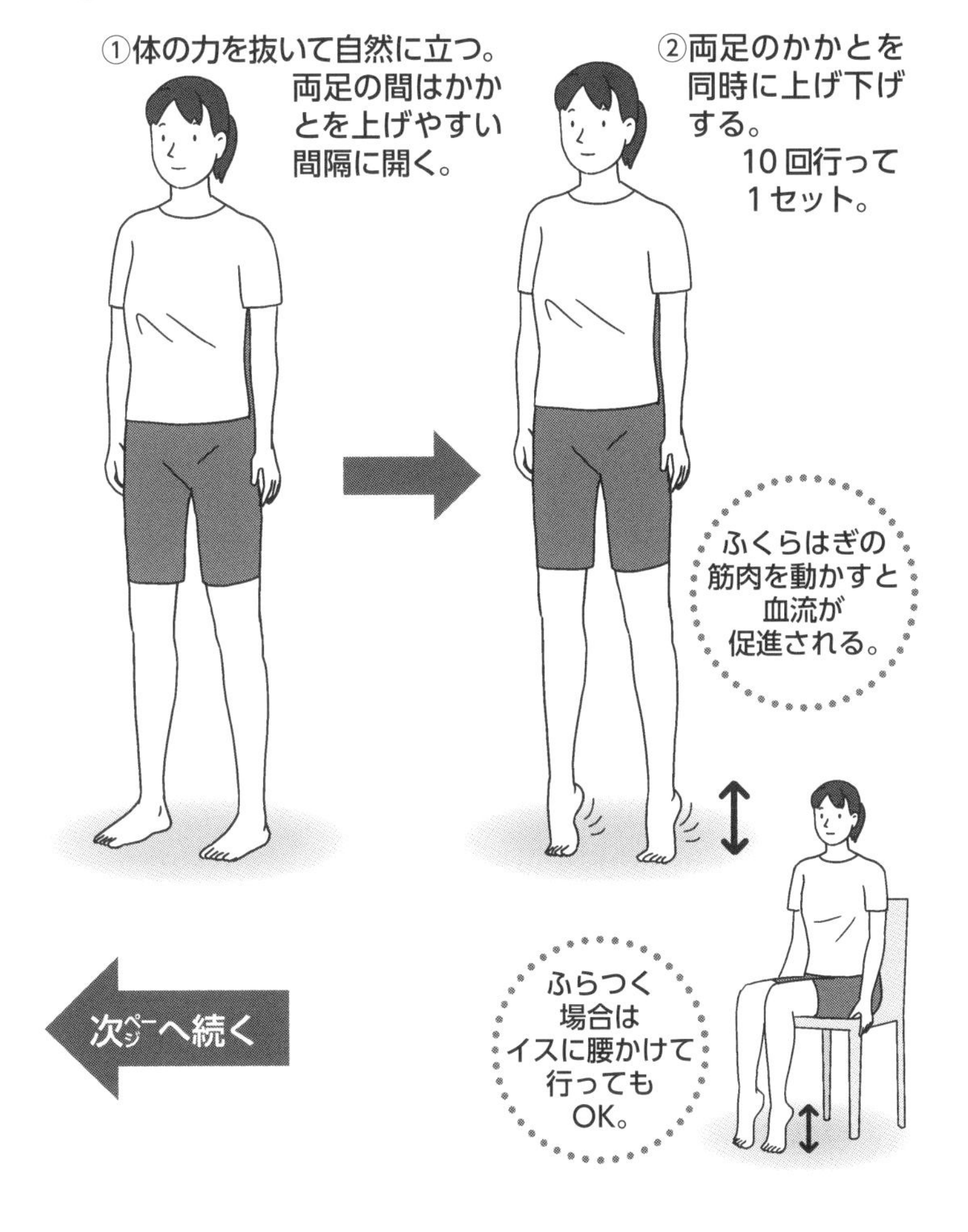

血管若返り体操－2

2 いばったポーズ

胴体の前面、
おなかと胸の血流アップ。

①体の前で腕を組む。

②かかとの上げ下げ
と同時に、
両肩を上げ下げする。
10 回行って1セット。

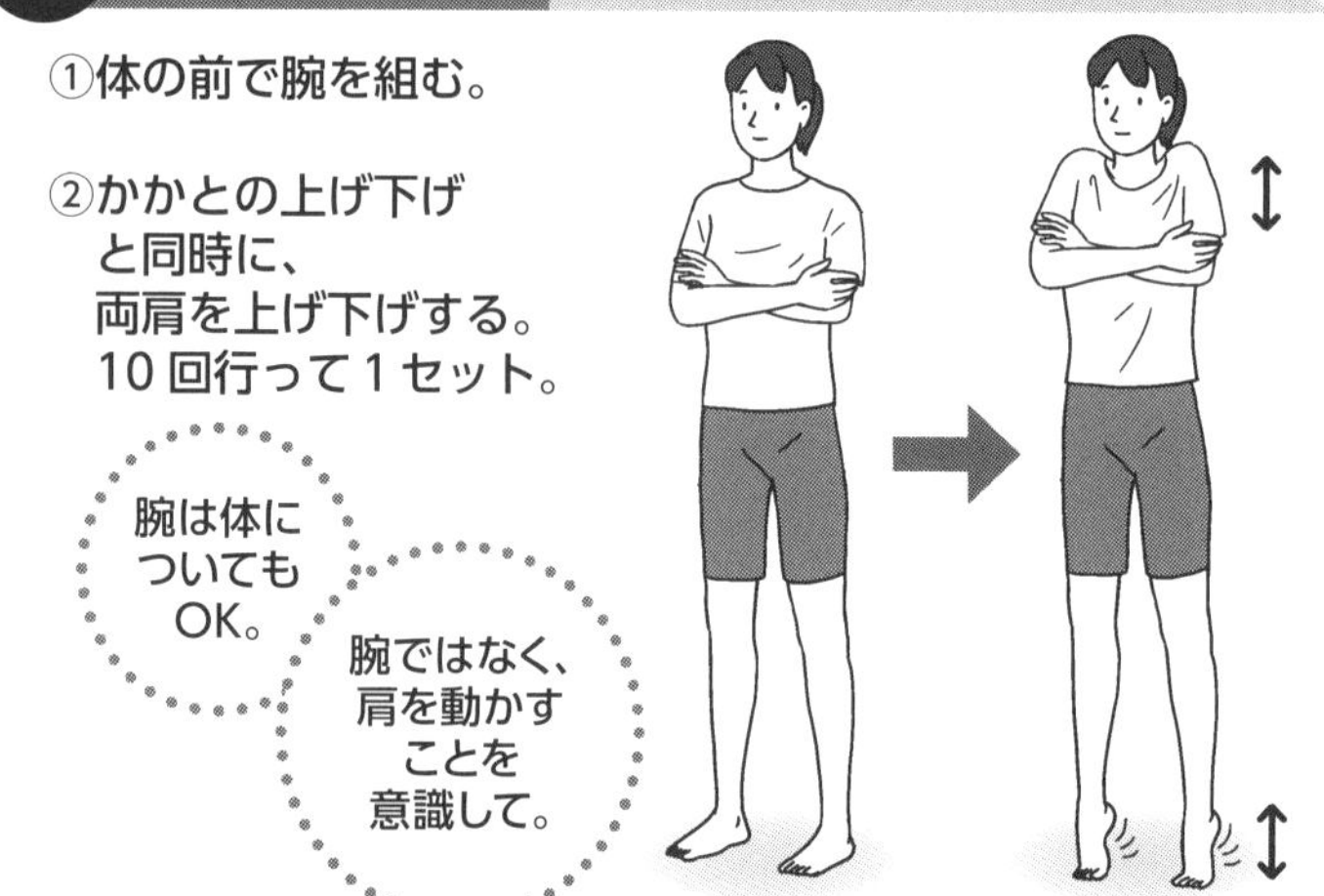

3 困ったポーズ

胴体の背面、背中の血流アップ

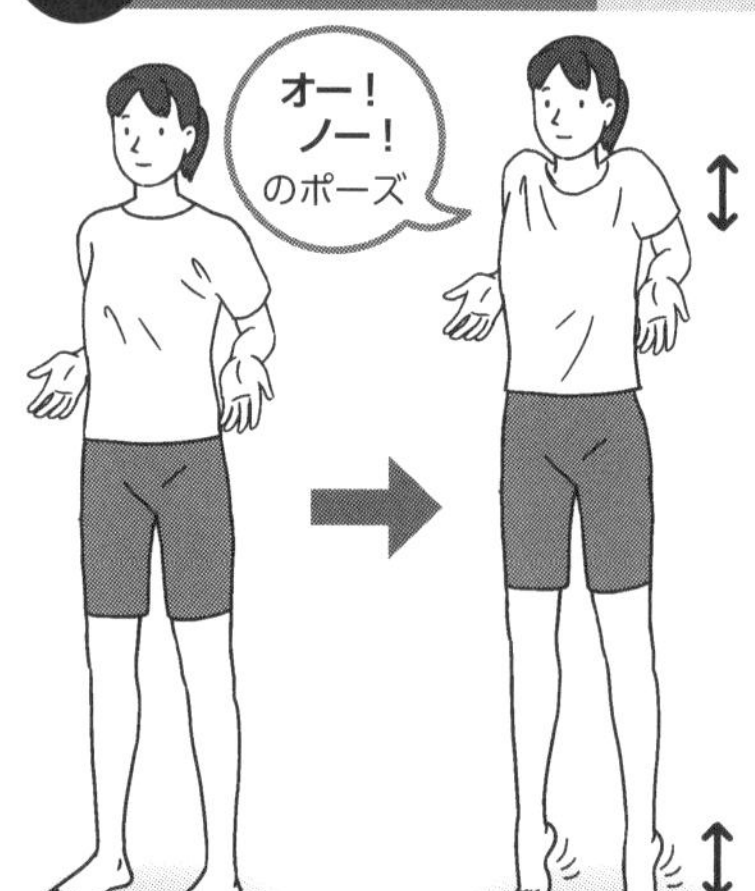

腕ではなく、
肩を動かす
ことを
意識して。

①両手を体の横につけて
両ひじを後ろに引く。
手のひらを前方に向ける。

②かかとの上げ下げと同時に、
両肩を上げ下げする。
10 回行って1セット。

Q 149 ふくらはぎもみは高い血圧を下げるのに効くそうですが、本当ですか？

ふくらはぎには、ヒラメ筋、腓腹筋という2つの筋肉があります。これらは歩く動作とともに収縮と弛緩をくり返し、その動きによって静脈が圧迫されて、静脈血が心臓へと押し上げられます。ちょうどポンプのような働きをしていることから、ふくらはぎは第2の心臓と呼ばれます。

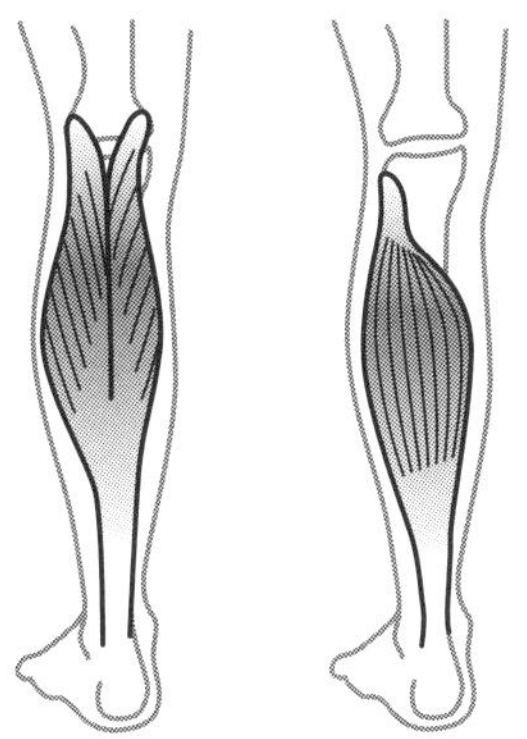

一度、ふくらはぎをさわってみてください。健康なふくらはぎの筋肉の硬さは、ちょうどコンニャクくらいです。力こぶより硬かったり、靴下を脱いでも30分以上跡が残ったり、つかむと筋肉が痛んだりしないでしょうか。もしそうなら、ポンプ作用が低下して血流が悪い状態です。

ふくらはぎの筋肉

腓腹筋　ヒラメ筋

ふくらはぎは、もんでも降圧効果を期待できるのですが、たたくほうが血圧を下げるより顕著な効果があります。たたくことで筋肉を活性化してポンプ機能を高めれば、血流がよくなり、血圧を下げることができます。

高血圧の患者さんに1回10分程度のふくらはぎたたきを10日間試してもらったところ、最も効果があった人で最高血圧が145ミリから132ミリに、最低血圧が75ミリから69ミリに下がり、平均では最高・最低とも5〜10ミリの降下が見られました。

ふくらはぎたたきは、足が太くてもむのが大変という人も、手の力が弱った人でも、手軽にできる方法です。ぜひ試してみてください。

（渡辺尚彦）

ふくらはぎたたきのやり方

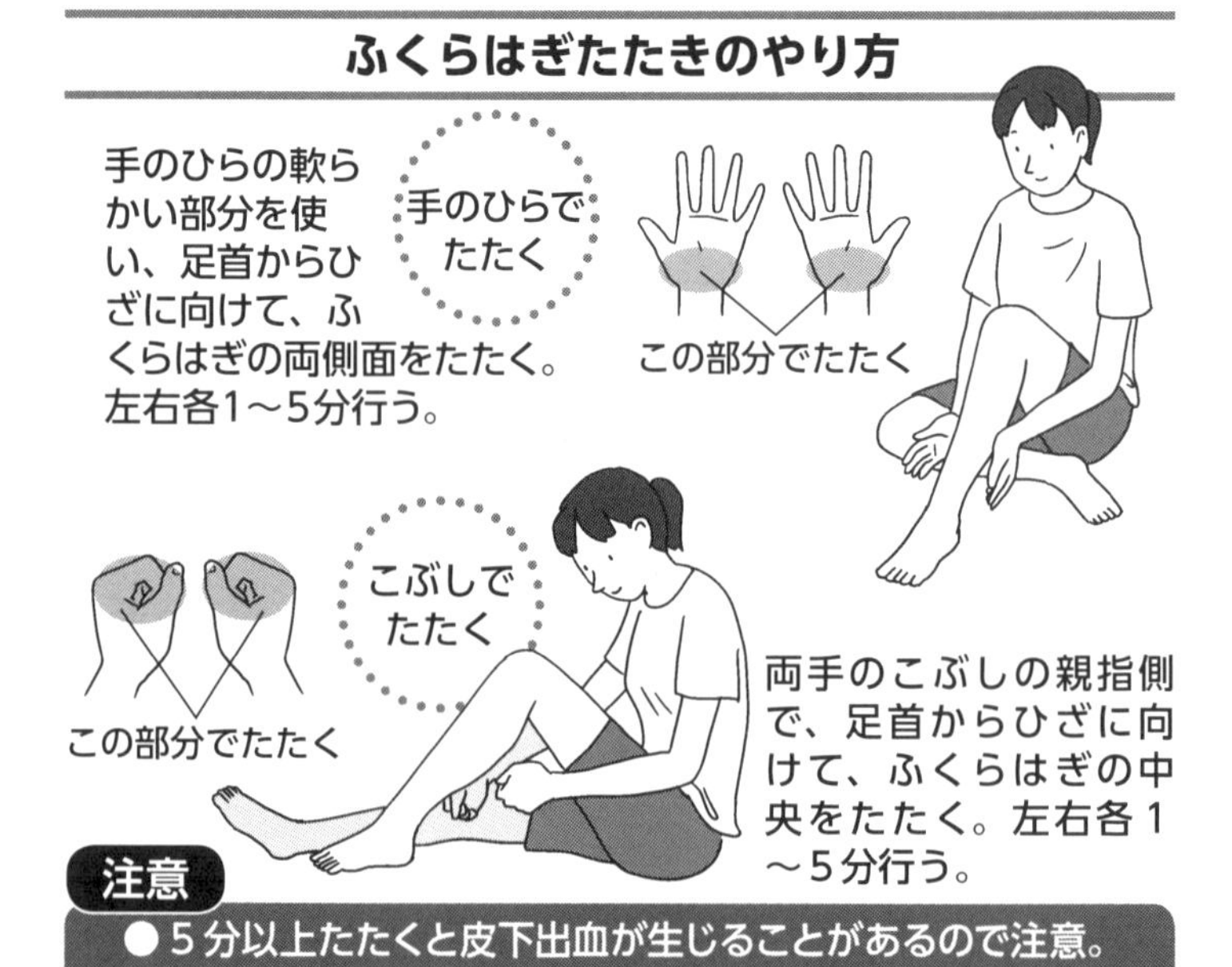

手のひらでたたく
手のひらの軟らかい部分を使い、足首からひざに向けて、ふくらはぎの両側面をたたく。左右各1〜5分行う。
この部分でたたく
こぶしでたたく
この部分でたたく
両手のこぶしの親指側で、足首からひざに向けて、ふくらはぎの中央をたたく。左右各1〜5分行う。

注意

- 5分以上たたくと皮下出血が生じることがあるので注意。
- 炎症や傷、下肢静脈瘤や静脈炎がある人は行わないこと。

Q150 寝たままで高い血圧を下げられる体操はないですか？

最高血圧は正常なのに、最低血圧が高いという人がいます。60歳未満でこのタイプの人は末梢(まっしょう)血管が動脈硬化を起こしている可能性があります。

最低血圧は、心臓が血液を送り出したあとに拡張するときに、大動脈に残った血液が押し出され、細い毛細血管に押し出されるときに血管にかかる圧力です。最低血圧が高いということは、毛細血管が動脈硬化を起こして血流が悪くなっているということで、この状態を「毛細血管虚弱」といいます。

毛細血管虚弱になると、末端に血液が巡りにくいため、手足が冷えやしびれを強く感じます。寒い時期には、手足の先が、体の中心部の体温に比べて4～5度Cも低くなる場合もあります。全身に酸素や栄養分が行き届かない一方で、二酸化炭素や老廃物がうまく排出できずに蓄積され、頭痛やめまい、視力低下、頻尿といったさまざまな不調が起こります。

こうした毛細血管虚弱を改善する方法として、寝たまま簡単にできる「グーパー体操」という体操があります（図参照）。手足を動かして指先に意識的に刺激を与えることで血流がよくなり、毛細血管虚弱を改善することができます。寝たままできるので、1日1度、試してみてください。3ヵ月ほど続ければ、少しずつ最低血圧の高さも改善してきます。

毛細血管虚弱といっても、細い血管だからいいのでは、と思ったら大間違いです。毛細血管の動脈硬化を放置すると、症状の出ない小さな脳出血などを起こすようになります。また、その状態に気づかないままでいると、やがては太い血管にも動脈硬化が広がり、最高血圧も高くなって、脳卒中や心筋梗塞など深刻な事態を招く危険性があります。早いうちにグーパー体操で高血圧の予防・改善に努めましょう。

（渡辺尚彦）

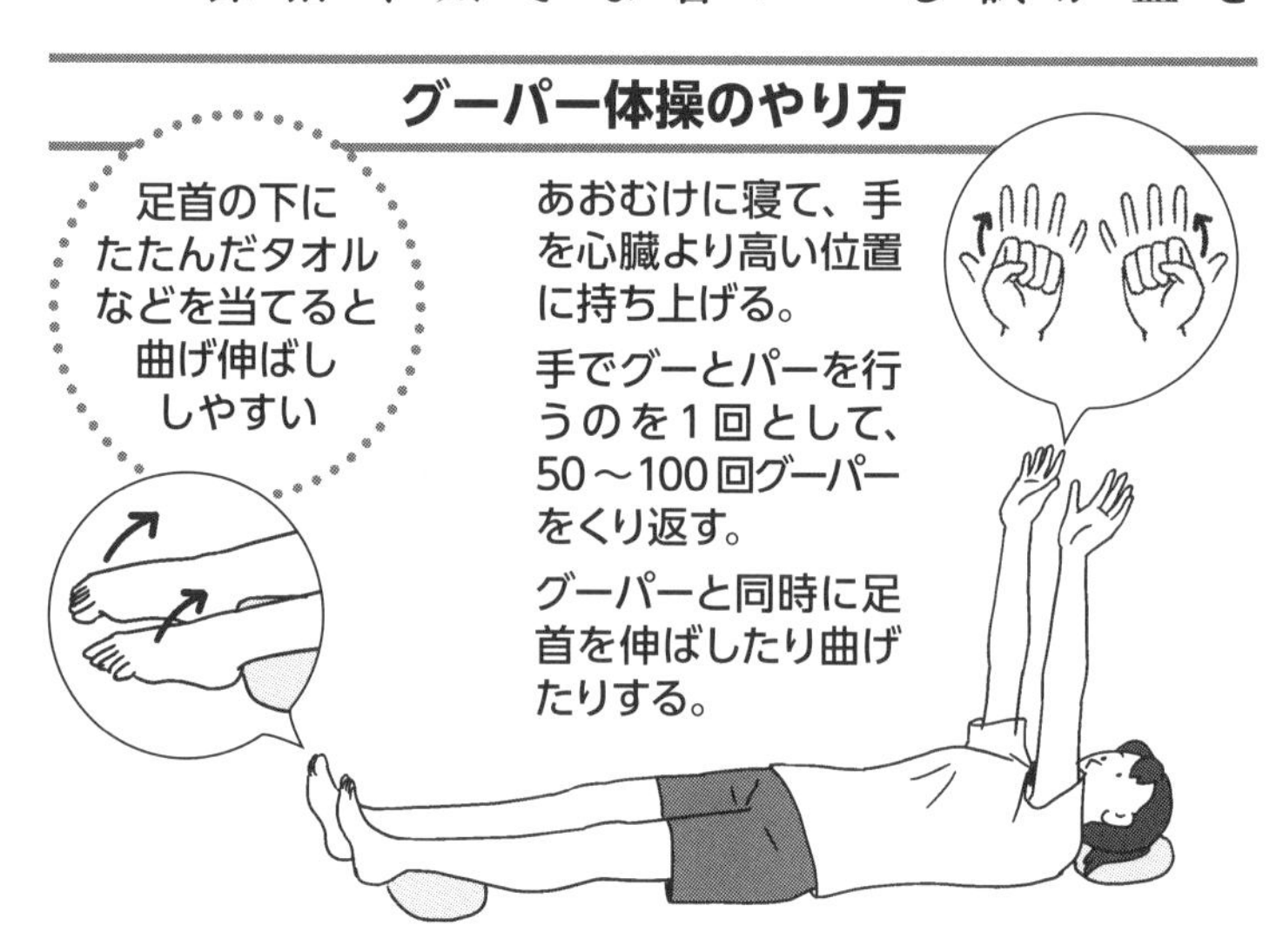

グーパー体操のやり方
足首の下にたたんだタオルなどを当てると曲げ伸ばししやすい
あおむけに寝て、手を心臓より高い位置に持ち上げる。
手でグーとパーを行うのを1回として、50～100回グーパーをくり返す。
グーパーと同時に足首を伸ばしたり曲げたりする。

高血圧
脳卒中・心筋梗塞・動脈瘤
循環器内科の名医が教える
最高の治し方大全

2020年９月24日　第１刷発行
2020年11月13日　第２刷発行
編 集 人　飯塚晃敏
シリーズ統括　石井弘行　飯塚晃敏
編　　集　わかさ出版
編集協力　酒井祐次　瀧原淳子（マナ・コムレード）
装　　丁　下村成子（ヴィンセント）
イラスト　前田達彦　マナ・コムレード
発 行 人　山本周嗣
発 行 所　株式会社文響社
〒105-0001　東京都港区虎ノ門２丁目２－５
共同通信会館９階
ホームページ　https://bunkyosha.com
お問い合わせ　info@bunkyosha.com
印刷・製本　中央精版印刷株式会社

ISBN 978-4-86651-297-6

本書は専門家の監修のもと安全性に配慮して編集していますが、本書の内容を実践して万が一体調が悪化する場合は、すぐに中止して医師にご相談ください。また、疾患の状態には個人差があり、本書の内容がすべての人に当てはまるわけではないことをご承知おきのうえご覧ください。